ATTIREZ DES OISEAUX SAUVAGES DANS VOTRE JARDIN

TRUCS PRATIQUES ET PLANS DÉTAILLÉS

QUÉBEC AGENDA

1250, 2e Rue, Parc industriel
C.P. 3500, Sainte-Marie-de-Beauce
G6E 3B2

© 1985 TAB BOOKS Inc.
© 1989 Québec Agenda Inc.

Dépôt légal : 1er trimestre 1989
Bibliothèque nationale du Québec
Bibliothèque nationale du Canada

ISBN 2-8929-4145-8

Imprimé au Canada

Table des matières

Remerciements   **7**

Préface   **9**

Introduction   **11**

1 Comment attirer les oiseaux   **13**

L'homme et les oiseaux — Ce qu'il faut pour attirer les oiseaux — Identification et connaissance des oiseaux

2 L'alimentation des oiseaux   **27**

Alimentation saisonnière — Trucs pratiques

3 Les aliments pour oiseaux   **36**

Mélanges de graines du commerce — Restes de table — Lard et beurre d'arachide — Mélanges sur mesure — Pains de lard et de graines — Grenailles — Régimes pour les espèces courantes

4 Les abris, l'eau et les autres besoins   **53**

Abris — Alimentation en eau — Refuges — Bains de poussière — Matériaux pour la construction d'un nid

5 L'aménagement paysager   **66**

Planification — Fleurs — Arbustes et plantes grimpantes — Arbres — Plantes préférées des colibris

6   Les mangeoires   73

Types de mangeoires — Nombre de mangeoires — Choix de l'emplacement — Installation — Nettoyage et entretien — Mangeoire à plateau — Mangeoire à plateau faite avec un cadre — Mangeoire à plateau couverte — Trémie — Trémie facile à fabriquer — Mangeoire-girouette — Bûche transformée en mangeoire — Mangeoire pour le lard — Cône pour éloigner les chats et les écureuils

7   Les maisonnettes d'oiseaux   111

Types de maisonnettes — Devis de fabrication — Emplacement et installation — Nettoyage et entretien — Les visiteurs indésirables — Maisonnette fabriquée autour d'une boîte en carton — Maisonnette pour sittelle ou mésange — Maisonnette pour pic doré ou rosé — Cabane de bois rond pour mésange — Maisonnette pour pic — Maisonnette pour huit hirondelles pourprées — Chalet pour merle — Halte pour les merles bleus — Réseau de haltes pour les merles bleus

8   Des projets pour les enfants   151

Cône de pin transformé en mangeoire — Recettes de pâtées pour les oiseaux — Guirlandes alimentaires — Mangeoire découpée dans une cruche à lait — Cabane à moineaux ou troglodytes — Support pour les matériaux de construction d'un nid — Panier à fraises transformé en support à matériaux — Étagère pour nidifier

Index   165

Remerciements

Mes remerciements vont bien sûr aux membres de ma famille. À mon époux, qui a su critiquer mon travail et me stimuler, ainsi qu'à mes trois enfants, qui ont entendu des milliers de fois : "Laissez maman tranquille ! Elle travaille à son livre."

Préface

Je suis de celles qui adorent écouter le gazouillis des oiseaux au petit matin. Au moment même où j'écris ces lignes, j'entends un moqueur chanter tout son répertoire sur une branche du vieux chêne. Un de mes voisins se plaint parfois de cet oiseau qui exécute à l'occasion son tour de chant avant l'aube. Certaines nuits de pleine lune, je reste éveillée pour l'écouter. Je trouve cela magnifique. C'est ce qui fait la différence entre mon voisin et moi. Je suis certaine que mon livre ne l'intéressera pas. Cependant, si vous aimez la beauté et la paix qu'apportent les oiseaux, si vous appréciez leurs chants variés à l'infini, ce livre est pour vous.

Introduction

La mode est lancée. Dans tous les magasins, qu'il s'agisse de supermarchés ou de quincailleries, on peut trouver une incroyable variété de mangeoires et de maisonnettes pour les oiseaux. De plus en plus de gens en achètent, ce qui indique qu'on s'intéresse de plus en plus aux oiseaux. Cependant, même s'il existe de nombreux et magnifiques livres de luxe sur le sujet, rares sont les livres récents qui donnent des conseils pratiques pour attirer les oiseaux. Lorsqu'on en trouve un qui explique convenablement comment construire une mangeoire ou une maisonnette, on constate souvent qu'il ne correspond pas aux techniques et aux matériaux d'aujourd'hui. On trouve également des recueils de plans qui n'expliquent pas comment aménager un environnement favorable à l'accueil des espèces d'oiseaux les plus communes. À quoi sert-il de construire une jolie mangeoire si l'on ignore quoi y mettre et où la placer ?

Le présent livre vous propose des méthodes et des plans éprouvés. Il constitue également une revue complète et à jour de ce hobby captivant. Les matériaux suggérés sont faciles à trouver dans les grandes villes et leurs banlieues. Les passages traitant de l'alimentation tiennent compte des recherches les plus récentes et des aliments qui sont aujourd'hui disponibles. Le lecteur découvrira qu'il s'agit d'une véritable bible sur l'art d'attirer, de nourrir et de loger les oiseaux.

CHAPITRE 1

Comment attirer les oiseaux

S i vous avez ouvert ce livre, c'est sans doute que les oiseaux présentent pour vous un quelconque intérêt. Peut-être vous intéressez-vous à ceux que vous avez observés dans votre jardin ? Peut-être êtes-vous un ornithologue amateur depuis des années. Peu importe comment vous y êtes arrivé, vous pratiquez là l'un des passe-temps les plus populaires en Amérique.

L'homme et les oiseaux

Aujourd'hui, de plus en plus de gens cherchent à attirer, à nourrir et à loger les oiseaux sauvages de leur région. C'est un passe-temps auquel on peut consacrer beaucoup ou peu de temps, selon ses disponibilités. Vous pouvez décider d'installer simplement quelques maisonnettes ou de garnir une mangeoire pendant la saison froide. Vous pouvez également adopter une approche globale en nourrissant et en logeant les oiseaux à l'année longue, en mettant à leur disposition des sources d'eau fraîche et en les protégeant contre leurs ennemis. Peut-être voudrez-vous joindre les rangs d'un club d'ornithologues amateurs afin de partager vos idées et vos expériences avec des personnes qui ont la même passion que vous. Quel que soit le degré d'engagement que vous voudrez mettre dans ce hobby, vous pourrez le faire.

Un passe-temps populaire

Aux États-Unis, une recherche a démontré qu'environ 39 pour cent de la population adulte nourrissait des oiseaux sauvages. C'est plus d'une personne sur trois ! J'ai été surprise d'apprendre à quel point nous étions nombreux. Bien sûr, j'avais déjà observé ces nombreuses personnes qui lancent des miettes de pain aux oiseaux ou qui installent une mangeoire dans leur jardin. Je savais également qu'il existe une société nationale d'ornithologie et qu'on ne compte plus les clubs régionaux d'ornithologues amateurs. Mais ces personnes sont si discrètes qu'on a peine à croire qu'elles sont aussi nombreuses.

Pour me faire une meilleure idée du nombre d'amateurs d'oiseaux, je me suis rendue chez un commerçant qui vend des aliments pour oiseaux et je lui ai demandé combien il pouvait en vendre chaque semaine. Il m'a dit en vendre plus d'une tonne ! Et ce n'est qu'un magasin parmi plusieurs autres dans la région. Cela ne tient aucun compte de ce qui est vendu par les autres commerçants spécialisés, dans les supermarchés ou dans les magasins à rayons. De plus, il faut aussi savoir qu'un certain nombre de personnes nourrissent les oiseaux avec des restes de table ou des aliments qu'elles cultivent spécifiquement à cette fin.

Pour se rendre compte du nombre de personnes qui s'intéressent aux oiseaux, il suffit d'observer la grande variété de mangeoires et de maisonnettes qui sont disponibles sur le marché. On en trouve de tous les styles et de tous les prix dans presque tous les genres de magasins. Les fabricants de ces produits affirment qu'ils n'ont jamais fait d'aussi bonnes affaires.

Quand on regarde autour de soi, on constate qu'il y a beaucoup plus d'amateurs d'oiseaux qu'on ne le croyait. Uniquement dans mon voisinage immédiat, je sais qu'il y a deux autres ornithologues amateurs. Je les ai rencontrés et ils sont tous deux représentatifs. La première est une vieille dame qui vit dans la région depuis sa plus tendre enfance. Elle connaît les oiseaux par leurs noms usuels, mais aussi par des surnoms d'autrefois que j'ignorais complètement. Tout ce qu'elle sait des habitudes des oiseaux, elle l'a appris par la tradition orale ou par ses propres observations. Lorsque mes livres de référence ne peuvent répondre à l'une de mes questions, elle m'est d'un grand secours. Cette voisine entretient deux mangeoires à l'année longue et elle a installé plusieurs maisonnettes de différents types un peu partout sur son terrain.

Un peu plus haut sur ma rue se trouve toute une famille d'amateurs. Ceux-là sont plus à l'aise dans le cadre d'une approche scientifique. L'épouse garde à portée de la main un guide d'observation, des jumelles et un journal où elle note les nouvelles espèces observées. Les deux enfants veillent à garnir les mangeoires et ils en savent aussi long sur les habitudes des différents oiseaux que la plupart des adultes. L'aménagement paysager de leur jardin a été soigneusement planifié de manière à offrir aux oiseaux des refuges, des lieux de nidification et des aliments naturels. Toute la famille s'intéresse aux oiseaux et à l'environnement à un point tel qu'ils font partie de diverses associations.

Que vous correspondiez ou non à l'un de ces deux types d'ornithologues amateurs, vous découvrirez que des personnes de tout genre s'intéressent aux oiseaux sauvages.

Agréable et nécessaire

À mesure que les villes s'étendent et que reculent les frontières des champs et des forêts où les oiseaux ont toujours vécu, ceux-ci voient leur habitat naturel transformé ou détruit. On coupe les arbres, les arbustes et les plantes qui fournissaient à des douzaines d'espèces d'oiseaux de la nourriture, des abris et des endroits où construire leurs nids. La proximité des hommes, de leurs animaux domestiques et de leurs véhicules a fait s'éloigner complètement certaines espèces. Elles doivent alors entrer en concurrence avec d'autres oiseaux pour obtenir un territoire et de la nourriture. À cause de la pollution, il leur est de plus en plus difficile de trouver de l'eau pure et des aliments sains. Même dans les régions rurales, des jardiniers zélés émondent les arbres de leurs vieilles branches, privant ainsi sans le savoir les oiseaux de leur lieu de nidification naturel. Les terrains vagues sont nettoyés, les marais sont asséchés et les champs sont rasés, ce qui laisse aux oiseaux très peu d'endroits où s'abriter.

Certaines espèces d'oiseaux ont appris à s'adapter, du moins en partie, à tous ces changements. Dans certaines régions, les moineaux et les pigeons se comportent presque comme des animaux domestiques. Les pics et les troglodytes, comme plusieurs autres espèces, ont appris à nicher dans des maisonnettes. De plus en plus d'espèces d'oiseaux visitent régulièrement les villes et les banlieues pour y chercher la nourriture que leur offrent les hommes en complément de leur alimentation naturelle. L'eau présente pour les oiseaux un problème plus grave, surtout en été, et plusieurs d'entre eux dépendent de l'arrosage des pelouses et des bassins ou des gouttières pour subvenir à leurs besoins. J'ai vu des geais et des pinsons apprendre à se tenir la tête en bas sur un robinet afin de recueillir les gouttes d'eau qui en tombaient. La plupart des espèces s'adaptent plutôt que de changer de territoire ou de se laisser mourir. Néanmoins, il reste que les oiseaux doivent aujourd'hui se battre pour survivre dans un environnement qui leur était autrefois favorable. À mon avis, il est important que les hommes fassent leur part pour les aider. Au niveau national, il faut insister pour mieux protéger notre environnement; au niveau régional, il faut favoriser la création d'espaces verts et de sanctuaires d'oiseaux; au niveau personnel, il faut offrir à nos amis ailés de l'eau, de la nourriture, des abris et des endroits où construire leurs nids.

En plus des transformations subies par leur habitat naturel, les oiseaux doivent toujours faire face à leur vieil ennemi : l'hiver. Là aussi, l'homme peut leur venir en aide. Chaque année, le froid hivernal tue un plus grand nombre d'oiseaux que tout autre facteur. Seuls les oiseaux les plus forts et les mieux adaptés peuvent supporter de telles températures. Même les oiseaux migrateurs succombent parfois à l'épuisement du voyage et sont aussi tués par l'hiver.

La nature a prévu un système complexe de conservation de l'énergie afin que les oiseaux puissent survivre par temps froid. Tout d'abord, leurs plumes agissent comme une couverture à isolation variable. En été les oiseaux lissent leurs plumes et les gardent bien serrées. Lorsqu'il fait froid, ils les ébouriffent de façon à retenir la chaleur que dégage leur corps. Les pattes des oiseaux sont aussi conçues pour conserver l'énergie. Elles sont principalement composées d'os et de tissus conjonctifs. La couche de chair est très mince, de sorte qu'il faut très peu d'énergie pour la nourrir et la réchauffer. Lorsqu'ils se perchent, les oiseaux plient les pattes et s'assoient dessus de manière à les couvrir de leurs plumes. Tous ces facteurs, ainsi que la semi-hibernation dont est capable leur système circulatoire, permet aux oiseaux de survivre à l'hiver.

Malgré toutes ces merveilles d'adaptation, de nombreux oiseaux meurent de froid. À cause du rythme métabolique rapide nécessaire pour maintenir la chaleur du corps par temps froid, les oiseaux doivent manger très souvent. En effet, ils ne peuvent pas emmagasiner assez de nourriture pour tenir toute une journée. La recherche de nourriture en hiver leur pose donc un grave problème.

La température est inclémente et la nouriture est plus rare au moment où ils en ont le plus grand besoin. Cette recherche de nourriture explique pourquoi on peut voir des oiseaux fourrager même par très mauvais temps.

Tout comme le problème posé par la perte de leur habitat, les effets négatifs de l'hiver peuvent être atténués par l'homme. Cela ne coûte presque rien de construire quelques maisonnettes et de donner aux oiseaux des restes de table. La plupart des amateurs d'oiseaux voient cela comme une responsabilité. Nous avons le sentiment de faire quelque chose d'agréable tout en aidant les oiseaux à survivre.

Ce qu'il faut pour attirer les oiseaux

Pour que les oiseaux vous rendent visite, il faut d'abord leur donner une raison de le faire. Même sans les nourrir ni les loger, votre jardin les attire peut-être déjà naturellement. Si vous avez des arbres ou des arbustes denses où ils peuvent nicher ou se mettre à l'abri, si vous avez un champ laissé à l'abandon, si vous avez des plantes qui donnent des fruits ou des graines, ou encore une source d'eau fraîche, il est probable que de nombreux oiseaux viennent vous visiter. Vous pouvez augmenter le nombre de ces visiteurs en rendant votre terrain encore plus attrayant pour eux.

Pour attirer le plus grand nombre possible d'oiseaux, il faut s'y prendre de façon méthodique. En jetant les restes de table sur le terrain, vous finirez par avoir la visite de quelques oiseaux, mais jamais autant qu'en installant une mangeoire et en la garnissant régulièrement. De même, les couvre-sols et les arbres pourront abriter des nids, mais jamais autant que quelques maisonnettes bien conçues. Vous devez viser à créer un environnement où les oiseaux se sentiront chez eux et en sécurité.

L'aménagement d'un tel environnement n'est pas aussi complexe qu'il semble. En résumé, il suffit d'offrir les éléments fondamentaux énumérés plus bas et faire le nécessaire pour protéger vos invités contre les chats, les chiens, les enfants malfaisants et les autres dangers. Lorsque les oiseaux reconnaîtront votre terrain comme étant un lieu sûr, ils viendront en grand nombre. Voyons maintenant quels sont ces éléments fondamentaux. Les chapitres 4 et 5 y sont entièrement consacrés, mais il est bon de s'y attarder brièvement de façon à se donner une vue d'ensemble.

La nourriture

Pour la plupart des gens, c'est la première étape d'une démarche en vue d'attirer les oiseaux. Plusieurs commencent en donnant aux oiseaux des restes de table ou en installant une mangeoire préfabriquée et en y mettant un mélange de graines du commerce. Avec le temps, vous découvrirez d'autres mélanges de graines, l'utilité du lard et la possibilité de cultiver des aliments naturels. Ce livre vous permettra de déterminer quels aliments correspondent à votre budget, à vos possibilités d'entreposage et aux espèces d'oiseaux qui vous visitent. Vous pouvez également vous en tenir au régime alimentaire de l'espèce que vous préférez avec l'espoir d'en attirer quelques spécimens dans votre jardin.

De tous les éléments fondamentaux pour créer un environnement favorable aux oiseaux, j'estime que la nourriture est le plus important. Une source d'eau fraîche ou des sites propices à la construction d'un nid contribueront à attirer des oiseaux, mais jamais aussi vite qu'une source d'alimentation régulière. L'alimentation sera toujours à la base du système que vous mettrez en place. Lorsque les oiseaux auront adopté votre terrain pour y trouver de la nourriture, ils s'abreuveront à vos bassins, ils profiteront de vos arbres et de vos arbustes et ils s'installeront dans vos maisonnettes.

L'eau

Comme la plupart des oiseaux doivent couvrir chaque jour de longues distances pour trouver de l'eau, ils apprécieront trouver chez vous une source d'eau à proximité d'un site de nidification et d'une mangeoire. Vous vous amuserez aussi à les regarder s'ébrouer dans les bassins. Un bassin de n'importe quel type augmentera le nombre de vos visiteurs tout en constituant la scène d'un amusant spectacle.

Des abris et des refuges

Les abris et les refuges constituent deux besoins distincts. Les abris sont les endroits où les oiseaux pourront construire leurs nids et s'abriter contre le mauvais temps. De simples boîtes, des étagères, des maisonnettes ou des conifères très denses constituent d'excellents abris. Les refuges, pour leur part, sont les endroits où les oiseaux pourront se mettre temporairement à l'abri. Ce sont les arbres et les arbustes situés à proximité de la mangeoire et dans lesquels les oiseaux se réfugieront à l'approche d'un danger. Un tas de bois mort comportant des passages constitue également un excellent refuge. Les plantes hautes et le gazon peuvent aussi servir de refuge à plusieurs espèces d'oiseaux.

Comme vous pouvez l'imaginer, il faut un minimum de planification et d'efforts pour offrir aux oiseaux des abris et des refuges. Vous devrez construire ou acheter des maisonnettes et planter des couvre-sols s'il n'y en a pas sur votre terrain. Malgré tout, c'est un élément fondamental qu'il ne faut pas négliger dans l'aménagement d'un environnement favorable aux oiseaux. Faites l'inventaire des abris et des refuges qui se trouvent déjà sur votre terrain, puis planifiez les améliorations que vous pourrez apporter. Les chapitres 5 à 8 expliquent comment aménager des abris et des refuges et fournissent des détails sur la fabrication de différents types de maisonnettes.

Les matériaux pour la construction d'un nid

En leur fournissant les matériaux nécessaires à la construction d'un nid, vous réussirez sans peine à attirer de nombreux oiseaux. On oublie souvent tout le mal que les oiseaux ont à trouver les matériaux requis pour la construction d'un nid. Ils peuvent passer des heures et des journées à chercher les matériaux qui conviennent. S'ils trouvent tout ce dont ils ont besoin sur votre terrain, ils n'auront pas envie d'aller construire leurs nids ailleurs.

La poussière et les grenailles

Bien que cela ne soit pas indispensable, il serait bon de prévoir un bac de sable ou de terre séchée sur votre terrain afin que les oiseaux puissent y prendre des bains de poussière. Prévoyez également des grenailles que certains oiseaux mangeront afin de broyer leurs aliments.

Identification et connaissance des oiseaux

Vous augmenterez considérablement votre plaisir en apprenant à identifier les espèces d'oiseaux qui vous rendent fréquemment visite. Bien que vous connaissiez probablement déjà la plupart des espèces qui visitent votre jardin, votre nouveau passe-temps attirera de nouvelles espèces et vous remarquerez parfois des oiseaux que vous ne connaissiez pas. Il pourra s'agir d'oiseaux migrateurs qui font une pause ou encore d'oiseaux de la région qui ne sont encore jamais venus chez vous. En les observant bien, vous remarquerez aussi de petites différences entre des oiseaux que vous classiez autrefois dans le même groupe. Pour la plupart d'entre nous, ces oiseaux inconnus piquent la curiosité et l'apprentissage devient alors une partie très importante de ce hobby.

L'identification des oiseaux ne sert toutefois pas uniquement à satisfaire la curiosité. C'est aussi important afin d'aménager l'environnement de manière à les encourager à rester ou à revenir en plus grand nombre. Vous apprendrez leurs habitudes alimentaires et de nidification, leurs aliments préférés et le type d'abri qui leur convient. Vous apprendrez quelles sont les espèces communes dans votre région et quels oiseaux migrateurs sont susceptibles de s'arrêter chez vous. En réunissant toutes ces données, vous serez encore mieux en mesure d'attirer un plus grand nombre d'oiseaux.

Lorsqu'il s'agit de mieux connaître les oiseaux, il existe une infinité de ressources. Comme nous le verrons plus loin, la plus courante est sans doute l'usage d'un guide d'observation. On peut aussi en apprendre beaucoup à la bibliothèque municipale, où l'on trouve de très beaux livres souvent trop coûteux pour l'amateur. J'ai souvent trouvé réponse à une question embêtante dans les livres que j'avais empruntés à la bibliothèque.

De nombreuses personnes peuvent aussi vous donner des conseils ou des renseignements. En cherchant un peu, vous serez surpris de constater le nombre d'experts en oiseaux qu'on peut trouver même dans une petite ville. Les professeurs de science sont généralement très heureux de répondre à des questions sur le sujet. Ce sont toutefois des personnes occupées, et l'on ne devrait pas les consulter pour une question dont la réponse se trouve aisément dans les livres. Ne faites appel à eux que pour les questions vraiment embêtantes. Les ornithologues amateurs expérimentés pourront aussi vous donner de nombreux conseils pratiques. Ils vous diront quelles graines préfèrent les espèces de la région, à quelle hauteur les merles du voisinage aiment nicher, quel système d'alimentation en eau fonctionne le mieux, etc. Ils pourront aussi vous dire où trouver des aliments et des accessoires à meilleur prix. La très grande majorité des ornithologues amateurs sont ravis d'échanger des informations avec d'autres. Il s'agit pour eux d'une partie importante de ce passe-temps. Tirez parti de l'expérience des autres.

Plusieurs ornithologues amateurs se regroupent dans un club ou une association. C'est une bonne façon de rencontrer des gens qui partagent le même intérêt. Cela permet aussi de partager les conseils, les informations et l'expérience acquise. Votre journal régional ou le vendeur d'une animalerie pourront vous indiquer où il faut s'adresser pour faire partie d'un tel club. En plus de permettre des échanges, ces clubs organisent souvent des expéditions, des conférences ou des projections de films. Si vous aimez rencontrer des gens et partager votre passion avec eux, joignez les rangs d'un club d'ornithologues amateurs.

Toutes ces sources d'information devraient vous permettre d'entreprendre votre apprentissage. Lorsque les oiseaux commenceront à visiter en plus grand nombre l'environnement que vous aurez aménagé pour eux, d'autres outils pourront vous paraître utiles.

Un guide d'observation

Un guide d'observation vaut son pesant d'or lorsqu'il s'agit d'obtenir une référence rapide. Comme la plupart des vrais amateurs, je garde le mien à portée de la main, au cas où un oiseau inconnu viendrait visiter une de mes mangeoires. En feuilletant les pages du guide, j'arrive généralement à l'identifier. La plupart des bons guides donnent aussi des indications sur le chant, les aliments préférés, les habitudes de nidification et l'aire de dispersion de chaque espèce. Un bon guide d'observation est sans doute le livre de référence le plus important que l'on puisse acheter.

Pour bien choisir un guide d'observation, il faut les comparer. Il en existe une multitude : certains sont excellents, plusieurs sont médiocres et quelques-uns sont très mauvais. Cherchez un guide de qualité publié par un éditeur réputé. Je n'ai pas encore trouvé un seul bon guide d'observation à bon marché. La plupart des bons guides se vendent entre 15 $ et 25 $. Ne lésinez pas là-dessus ; c'est un bon investissement !

Peu importe le guide d'observation choisi, il doit avoir certaines caractéristiques essentielles. Par exemple, il doit être illustré de photos très nettes plutôt que de dessins. Je sais que certains experts préfèrent les aquarelles, mais j'estime personnellement que rien ne vaut une bonne photo en couleurs. Le texte du guide doit être clair et concis. Les termes techniques utilisés doivent être expliqués. Il est pratique que le guide présente des photos des deux sexes d'une même espèce, car leurs couleurs peuvent varier considérablement. Un index est aussi très utile lorsqu'on sait le nom d'un oiseau et qu'on veut regarder sa photo sans feuilleter le guide au complet. Le guide doit en outre contenir le maximum de renseignements utiles tout en étant de format de poche. Il est bon de vérifier si le guide contient effectivement des renseignements utiles. Par exemple, on m'a donné en cadeau un joli petit guide relié en cuir que je n'ai jamais vraiment utilisé. Les illustrations sont magnifiques, mais le texte ne dit rien des habitudes et des caractéristiques de chaque oiseau. Il traite plutôt de l'évolution de l'espèce et des détails de sa classification. Il s'agit bien sûr d'informations intéressantes, mais un guide d'observation doit donner des renseignements plus pratiques. Il ne s'agit pas d'un livre de référence qu'on consulte dans son salon.

La plupart des guides d'observation sont conçus de manière à faciliter la recherche d'un oiseau à partir de sa couleur ou d'une caractéristique particulière. Par exemple, si le guide classe les oiseaux par couleur, il vous suffira de consulter la section où se trouvent tous les oiseaux d'une même couleur, peu importe leur espèce ou leur taille. L'illustration vous référera ensuite à un texte qui se trouve sur la page voisine ou dans une autre section du guide. D'autres guides regroupent les oiseaux selon le type de bec, la forme des pattes, la taille ou la famille. Peu importe le type de classement, il a pour but de favoriser une référence rapide au moment de l'observation. L'objectif est de permettre l'identification immédiate de l'oiseau observé. Bien que je préfère les guides qui classent les oiseaux selon la couleur, il est important de choisir le type de classement qui vous convient le mieux. Assurez-vous également que le guide contient bien toutes les informations que vous désirez connaître. Vérifiez si les illustrations vous paraissent satisfaisantes. Essayez de l'utiliser. Dans la librairie, regardez le temps qu'il vous faut pour passer d'une illustration au texte qui y correspond. Faites l'expérience avec plusieurs guides et vous verrez que certains sont plus faciles à utiliser que d'autres.

Des jumelles

À force d'observer les prouesses de vos visiteurs ailés de plus en plus nombreux, vous constaterez qu'on ne peut pas tout voir à l'œil nu. Les oiseaux qui se trouvent à l'autre bout du terrain ou sur une haute branche sont souvent très difficiles à identifier sans jumelles. Les oiseaux timides et ceux qui construisent un nid s'éloigneront si vous vous en approchez. C'est alors que vous aurez besoin d'une bonne paire de jumelles.

Je garde toujours mes jumelles à portée de la main. J'en ai une paire sur le rebord de la fenêtre et une autre dans l'auto. Comme les déplacements des oiseaux ne permettent souvent qu'une observation très rapide, je veux pouvoir les saisir en quelques secondes.

Selon le type de jumelles et la qualité recherchée, il faut s'attendre à payer entre 40 $ et plus de 100 $. C'est une dépense importante et il importe de faire un bon choix. Au départ, on cherche à obtenir le grossissement maximum à un prix minimum. Après tout, on veut voir les oiseaux de plus près ! C'est une erreur. En réalité, plus les jumelles grossissent l'image, plus il faut les tenir d'une main ferme. Les jumelles très puissantes sont si sensibles au moindre mouvement qu'il est très difficile de les utiliser. Pour l'observation des oiseaux, des jumelles qui grossissent 7 ou 8 fois sont idéales. Avec le temps et l'expérience, vous pourrez éventuellement utiliser des jumelles qui grossissent 10 fois.

Il faut également considérer la taille des objectifs, c'est-à-dire des lentilles qui sont pointées vers l'oiseau. C'est ce qui détermine la quantité de lumière qui entre dans les jumelles et la qualité de l'image qu'on peut y voir. Règle générale, il faut choisir des jumelles dont les objectifs ont un diamètre (en millimètres) d'au moins 5 fois le grossissement. Par exemple, les objectifs des jumelles qui grossissent 7 fois devraient avoir au moins 35 mm de diamètre. Le rapport entre ces deux mesures est indiqué sur les jumelles par l'inscription « 7 × 35 ». On peut aussi choisir des jumelles ayant de très grands objectifs, surtout si l'on prévoit les utiliser à des endroits où la lumière est faible. De telles jumelles présentent toutefois l'inconvénient d'être plus lourdes et de laisser entrer trop de lumière lorsque l'éclairage est normal.

Le poids des jumelles n'est pas non plus à négliger. Lorsqu'on essaie d'identifier un oiseau inconnu ou lorsqu'on observe une famille qui construit son nid, on peut tenir les jumelles devant ses yeux pendant plus de 5 minutes consécutives. Plus les jumelles seront lourdes, plus elles auront tendance à bouger, la fatigue aidant. Pour observer longuement un oiseau, il est conseillé d'appuyer les jumelles contre le genou, une branche d'arbre ou tout autre appui. Ne serait-ce que pour faciliter leur transport, il est bon de choisir des jumelles légères. Comparez les différents modèles qui offrent les mêmes caractéristiques optiques. Choisissez un modèle qui est à la fois léger et résistant.

Certaines autres caractéristiques peuvent aussi rendre plus agréable l'usage des jumelles. Les objectifs de certaines jumelles sont recouverts d'un produit qui élimine les reflets. L'oculaire droit devrait toujours comporter une bague de correction permettant d'adapter la distance focale à votre vision. Une molette de mise au point doit permettre d'observer les oiseaux éloignés et les oiseaux plus rapprochés. Certaines jumelles sont même munies d'un zoom qui permet d'augmenter le grossissement sans affecter la mise au point. Il faut bien comparer les différents modèles et choisir celui qui offre le maximum, compte tenu de son budget. Vous garderez vos jumelles très longtemps ; vous pouvez donc mettre quelques dollars de plus pour obtenir une caractéristique qui facilitera vos observations. On peut généralement trouver d'excellentes jumelles d'occasion en consultant les annonces classées ou en faisant la tournée des ventes de garage.

Une caméra

Plusieurs ornithologues amateurs photographient les oiseaux qu'ils observent. Le champ d'action est très vaste, des simples photos destinées aux dossiers d'observation jusqu'aux photos artistiques d'oiseaux en plein vol. Pour bien photographier les oiseaux, il faut au moins une caméra de 35 mm. Les photographes sérieux disposeront en plus de plusieurs objectifs, de trépieds et de divers accessoires leur permettant de saisir l'image des oiseaux les plus craintifs. Personnellement, j'utilise une caméra de 35 mm munie d'un zoom et fixée sur un trépied devant la fenêtre qui donne sur le jardin. Elle est toujours prête à être déclenchée. Un club de photographie ou d'ornithologie pourra vous donner de précieux conseils sur les techniques et les coûts associés à ce passe-temps.

Un télescope

Avec le temps, de nombreux ornithologues amateurs souffrent des limites de leurs jumelles et se tournent vers un télescope. Un tel appareil permet d'observer les oiseaux d'encore plus loin. De plus, comme il est généralement bien fixé à une poignée ou à un trépied, son poids et sa sensibilité aux mouvements ne causent aucun problème.

Pour choisir un télescope, on doit se poser les mêmes questions que lors du choix d'une paire de jumelles. Achetez ce qu'il y a de mieux, compte tenu de votre budget. Choisissez un modèle ayant un oculaire réglable, des lentilles antireflets, un objectif assez grand pour laisser pénétrer la lumière et un grossissement de 30 à 40 fois. Plus puissants que cela, les télescopes deviennent trop sensibles au moindre vent et à la plus petite vibration. Certains télescopes sont munis d'un zoom qui peut se révéler très pratique. Tout comme pour les jumelles, ne négligez pas le marché des télescopes d'occasion.

Un journal d'observation

Les vrais amateurs conservent dans un journal les notes de leurs observations. Ils y inscrivent le nombre d'oiseaux observés et leur espèce, l'endroit de l'observation, la date, les conditions climatiques et toute autre information pertinente. Certains tiennent leur journal si scrupuleusement qu'ils peuvent comparer leurs notes année après année ou échanger des détails avec d'autres amateurs.

La tenue d'un journal d'observation n'a pas à être très compliquée. Mon premier journal ne visait qu'à satisfaire ma curiosité quant au nombre d'espèces d'oiseaux qui visiteraient ma mangeoire au cours de l'hiver. J'ai acheté un cahier ligné et j'y ai noté chaque nouvelle espèce observée. Après un certain temps, j'ai commencé à inscrire la date et le moment de la journée, car il me semblait que certains oiseaux venaient toujours manger à la même heure. En d'autres mots, je tenais mon journal en fonction de ce qui m'intéressait. Je continue à tenir un journal et à y inscrire les comportements inhabituels de mes visiteurs, le nombre d'oiseaux migrateurs observés chaque année et la période de leur migration. Tout en observant les oiseaux, vous pourrez aussi mettre au point votre propre type de journal.

Des livres de référence

Lorsque votre curiosité sera piquée par certains oiseaux ou par des comportements inexplicables, vous voudrez acheter des livres. La bibliothèque municipale et les autres ornithologues constituent bien sûr d'excellentes sources d'information, mais on désire parfois avoir les renseignements à portée de la main. À 6 h 30 un dimanche matin, ce n'est pas le moment de téléphoner à un ami et la bibliothèque est fermée. Quelques livres de référence bien choisis constitueront alors un bon investissement.

La plupart des livres savants se rapportant aux oiseaux sont à la fois volumineux et très coûteux. Il existe cependant d'excellents livres de référence dont le prix est abordable. Le problème, c'est qu'on n'en trouve habituellement pas une très grande variété dans les librairies. Comme le marché est limité, les commerçants ne gardent que quelques exemplaires de livres de cette catégorie. À défaut de vivre près d'une grande ville où l'on trouve des librairies spécialisées, il est préférable d'acheter ces livres par la poste.

Les magazines spécialisés contiennent généralement des publicités et des critiques de tels livres. Lisez-les attentivement pour choisir celui qui convient à vos besoins. Par exemple, à mes débuts, je cherchais les publicités qui mentionnaient le nombre et le type d'illustrations. Si je lisais « 108 magnifiques photos en couleurs », j'étais preneuse. Aujourd'hui, mes besoins ont changé et je cherche des informations écrites bien spécifiques. On peut généralement commander ces livres et les retourner avant un certain délai s'ils ne nous conviennent pas.

En résumé

Même si aucun des accessoires mentionnés dans ce chapitre n'est essentiel pour observer des oiseaux, chacun d'eux apporte quelque chose. Si l'observation des oiseaux est si populaire, c'est sans doute — justement — parce que chacun peut l'adapter à ses goûts et à sa personnalité. On peut très bien commencer simplement, puis progresser lentement en ajoutant une maisonnette, en achetant une paire de jumelles, en empruntant un livre à la bibliothèque, puis en devenant un amateur sérieux.

CHAPITRE 2

L'alimentation des oiseaux

Nourrir les oiseaux est un passe-temps facile et peu coûteux qui peut apporter beaucoup de plaisir. Plusieurs personnes croient qu'il s'agit d'une activité exclusivement hivernale. Pourtant, en nourrissant les oiseaux à l'année longue, vous pourrez augmenter leur nombre et leur variété et les encourager à s'installer dans votre jardin.

Évidemment, le fait de nourrir les oiseaux — surtout en hiver — constitue une responsabilité. Une fois qu'on a commencé à les nourrir, les oiseaux dépendent de nous et il faut continuer à assurer leur alimentation. C'est très important. Trop de gens achètent une mangeoire sur un coup de tête, la garnissent pendant quelques semaines, puis la laissent à l'abandon. Ils n'ont pas conscience de toute la cruauté d'un tel geste. Lorsqu'il choisit l'endroit où il va passer l'hiver, l'oiseau tient surtout compte de la possibilité de s'alimenter. Devant une telle source d'aliments en abondance, il s'établira pour ensuite constater qu'elle n'était que passagère.

Vous comprendrez vite à quel point les oiseaux peuvent devenir dépendants. Si vous oubliez de garnir la mangeoire à temps, vous pourrez y voir un groupe d'oiseaux affamés perchés au froid. Pire encore, ils pourront avoir quitté votre terrain à la recherche de nourriture — une tâche qui peut se révéler très difficile pour eux. Même si les voisins ont des mangeoires bien garnies, vos protégés auront du mal à se faire une place parmi les oiseaux qui se sont déjà établis chez eux. Et je ne parle ici que d'un oubli occasionnel! Imaginez la difficulté des oiseaux lorsqu'on leur coupe les vivres après les avoir nourris pendant des semaines. Ils ont sans doute décidé d'hiverner à cet endroit à cause de l'abondance de nourriture et il est trop tard pour aller ailleurs. Ils connaîtront un hiver long et difficile à moins de trouver un autre bon samaritain.

À cause de leur intérêt grandissant pour l'écologie et la protection de l'environnement, un très grand nombre de personnes nourrissent les oiseaux. De plus en plus d'oiseaux dépendent donc de l'homme pour survivre à l'hiver. Ce phénomène a aussi transformé les habitudes naturelles de migration. Certaines espèces qui se déplaçaient vers le sud en automne restent maintenant toute l'année dans la même région. Ces oiseaux dépendent uniquement des aliments que leur donnent les hommes. Dans certaines régions, ils sont si dépendants qu'on ne peut les trouver qu'à proximité des mangeoires. L'aire de dispersion de quelques espèces, comme la mésange huppée, s'étend graduellement vers le nord à cause de la présence des mangeoires. Certains hommes de science s'inquiètent même de ce phénomène de dépendance. Ils craignent que, si l'homme cesse de les nourrir, de nombreux oiseaux meurent de faim.

Nourrir les oiseaux en hiver constitue une responsabilité, car leur survie en dépend. Cela dit, lorsqu'on décide de les nourrir à l'année longue, il faut aussi voir cela comme une responsabilité. On en est grandement récompensé.

Alimentation saisonnière

Les besoins alimentaires des oiseaux varient avec les saisons. La disponibilité des aliments naturels et les besoins énergétiques reliés à la température détermineront le contenu de la mangeoire. Voyons en quoi consistent les besoins alimentaires saisonniers des oiseaux.

Automne

Il faut commencer à nourrir les oiseaux tôt à l'automne si l'on veut attirer les oiseaux migrateurs qui passent. Comme nous l'avons vu, l'abondance de nourriture est un critère important dans le choix d'un endroit où hiverner. Si les oiseaux migrateurs trouvent chez vous un menu qui leur convient, ils pourront décider de s'y établir pour l'hiver. Si vous attendez trop tard, la plupart des oiseaux migrateurs — et certains oiseaux de la région — seront déjà en route vers le sud. L'idéal serait de commencer à garnir la mangeoire dès le début de septembre. Assurez-vous que votre terrain offre un environnement convenable pour hiverner : des abris, des refuges, de l'eau et une atmosphère de sécurité.

À cette période de l'année, les oiseaux trouvent dans la nature des graines, des noix, des gousses de fleurs séchées et quelques insectes. On peut garnir la mangeoire des mêmes aliments qu'en hiver, en insistant moins sur le gras.

Hiver

On ne saurait trop insister sur l'importance de nourrir les oiseaux en hiver. Chaque année, un très grand nombre d'oiseaux meurent de froid parce qu'ils manquent de nourriture. À cause du fonctionnement accéléré de leur métabolisme, les oiseaux doivent absorber en hiver des aliments à haute teneur énergétique. Ils doivent pouvoir en manger plusieurs fois par jour afin de survivre. Cet équilibre est si critique que la nuit — alors que la nourriture est impossible à trouver et que les températures sont très basses — les oiseaux entrent dans un état de semi-hibernation pour conserver leur énergie. Dans cet état de torpeur, les pattes de l'oiseau se bloquent pour le maintenir perché et tout son organisme fonctionne au ralenti. Étant donné qu'il ne peut s'alimenter, il peut ainsi conserver ses énergies. Malgré tout, après une nuit très froide, on peut trouver des oiseaux morts au pied des arbres. Leur torpeur ne les protège pas à cent pour cent. Les survivants se réveillent tôt le matin et doivent vite trouver de la nourriture. C'est pourquoi on peut toujours voir des oiseaux voleter, même lorsqu'il fait très mauvais.

Si vous avez commencé à les nourrir à l'automne, vous aurez de nombreux clients l'hiver venu. Vous saurez quels oiseaux visitent la mangeoire tôt le matin, lesquels se présentent en fin d'après-midi et lesquels y reviennent souvent dans la journée. Vous connaîtrez bien leurs préférences et les quantités nécessaires. Vous devrez veiller à ce que les mangeoires soit garnies tout l'hiver, même si vous prenez des vacances.

En hiver, les oiseaux ne trouvent pratiquement aucun aliment dans la nature. Les baies et les graines des arbres sont cachées sous la neige et les insectes sont morts ou en état d'hibernation. On doit garnir la mangeoire avec un mélange de graines, mais il faut aussi y mettre des aliments à haute teneur énergétique, comme du beurre d'arachide et du lard. Les matières grasses sont plus facilement transformées en énergie que les aliments végétaux. Elles sont d'autant plus importantes pour les insectivores, qui sont habitués à un tel régime.

Lorsque l'hiver achève, on est souvent tenté de cesser de nourrir les oiseaux. Les journées sont plus chaudes et les oiseaux migrateurs sont peut-être déjà partis. N'estimez pas trop vite que la nature peut répondre aux besoins alimentaires des oiseaux de la région. Continuez à les nourrir jusqu'à tard au printemps. Si vous leur coupez les vivres, une tempête printanière ou une vague de froid peut décimer une volée d'oiseaux affaiblis par l'hiver.

Printemps

Il est important de nourrir les oiseaux jusqu'à ce que soit écarté tout risque de température inclémente au point de les empêcher de trouver de la nourriture. Je continue de les nourrir encore plus longtemps — lorsque je ne les nourris pas à l'année longue — jusqu'à ce qu'ils puissent trouver dans la nature tout ce dont ils ont besoin. En les nourrissant au cours de cette période, vous encouragerez vos visiteurs à construire leurs nids près de chez vous plutôt que d'aller ailleurs.

Été

Pour la plupart des oiseaux, l'été est une période d'abondance. Ils trouvent des aliments à profusion dans la nature et leurs besoins énergétiques sont beaucoup moins grands qu'en hiver. Néanmoins, pour ceux qui doivent nourrir une bande d'oisillons affamés, la proximité d'une mangeoire bien garnie constitue un avantage appréciable. En outre, l'été est la saison où les oiseaux ont le plus besoin d'eau. Les chercheurs ont observé que les oiseaux doivent parfois parcourir plusieurs kilomètres pour trouver de l'eau. C'est pourquoi ils apprécient tant les bassins et les systèmes d'arrosage des pelouses.

En été, les oiseaux peuvent trouver dans la nature des baies, des fruits, des graines, de l'herbe et beaucoup d'insectes. On peut alors garnir la mangeoire d'aliments plus légers : un mélange de graines, comme toujours, mais aussi des restes de table, des fruits ou du pain. Le lard et le beurre d'arachides ne sont pas aussi importants qu'en hiver, mais les insectivores s'en régaleront quand même.

En nourrissant les oiseaux pendant l'été, vous les encouragerez à visiter votre terrain en plus grand nombre et à y faire leurs nids. Vous recruterez parmi ces visiteurs une bonne part de vos pensionnaires pour l'hiver.

Le fait de les nourrir à l'année longue permet de participer étroitement à la vie des oiseaux. Vous apprendrez à reconnaître certains individus ou groupes de visiteurs. Vous pourrez observer la période des amours et les travaux de construction d'un nid. Vous pourrez même voir des parents élever leurs oisillons et leur apprendre à voler. Même si vous devez vous rendre au bureau chaque jour, vous aurez l'occasion de devenir très familier avec le comportement des oiseaux.

Trucs pratiques

Lorsqu'on décide de nourrir les oiseaux, on doit répondre à plusieurs questions. Doit-on utiliser une mangeoire? De quel type? Quel mélange de graines choisir? Doit-on faire son propre mélange? Les réponses à toutes ces questions dépendent d'un seul facteur: ce qui vous convient le mieux. Une mangeoire peu coûteuse et un mélange de graines du commerce pourront très bien convenir à celui ou celle qui a peu de temps à consacrer à ce loisir. D'autres pourront préférer une mangeoire plus élaborée ou voudront nourrir les oiseaux au sol. Les paragraphes qui suivent traitent des principales méthodes pratiques pour nourrir les oiseaux sauvages.

Mangeoires

Bien que plusieurs personnes se contentent de jeter la nourriture des oiseaux sur le sol, la plupart des amateurs utilisent des mangeoires. Je recommande l'emploi d'une mangeoire, même lorsqu'on nourrit les oiseaux au sol; en effet, les différentes espèces d'oiseaux ont des habitudes alimentaires très variées. Par exemple, les moineaux aiment bien picorer au sol, alors que les mésanges ne s'y sentent pas en sécurité. Il est facile de faire plaisir à chacun et d'attirer ainsi une plus grande variété d'espèces. La mangeoire a aussi l'avantage de paraître plus propre que des aliments répandus sur le sol.

Il existe des mangeoires de toutes les tailles, de tous les styles et de toutes les couleurs. Certaines sont fixées au bout d'un poteau et d'autres sont suspendues. Certaines sont de simples plateaux pouvant contenir des graines, alors que d'autres ont l'aspect d'un joli chalet suisse. Je reviendrai au chapitre 6 sur les types de mangeoires que je préfère et vous trouverez des plans pour en fabriquer. Pour l'instant, tenons-nous-en à l'usage des mangeoires.

Les grands principes d'utilisation sont les suivants : bien choisir la mangeoire, l'installer solidement à l'abri des intempéries et des prédateurs éventuels, et surtout la garnir continuellement. N'oubliez pas que les oiseaux comptent sur vous et que les visiteurs du matin risquent de ne rien laisser aux convives de l'après-midi. Je dois garnir ma mangeoire chaque jour en début de soirée parce qu'une famille de cardinaux s'entête à ne la visiter que lorsqu'il n'y reste plus rien.

Nourrir les oiseaux au sol

Jeter la nourriture sur le sol est la manière la plus simple de nourrir les oiseaux. Aucun accessoire n'est requis, à l'exception du mélange de graines, et cela n'exige pas beaucoup d'efforts. Il suffit de répandre les graines ou les restes de table sur le sol. Cette méthode a bien sûr des avantages et des inconvénients.

Plusieurs espèces, notamment les pigeons et les moineaux, sont très à l'aise au sol et préfèrent s'y nourrir. Cependant, d'autres espèces n'aiment pas du tout cela. La plupart des espèces qui fréquentent les cimes des arbres hésiteront avant de se nourrir au sol. De plus, les aliments répandus sur le sol risquent d'attirer les insectes, les écureuils et même les rats. Si la nourriture est jetée sur une pelouse, une partie des graines se perdra dans les herbes. Les oiseaux qui se nourrissent au sol sont également plus exposés à être attaqués par un chien ou un chat ; les oiseaux qui en ont l'habitude sont prudents et aux aguets. En automne les graines jetées au sol risquent d'être couvertes de neige. On peut éviter ce problème en répandant les graines sur une toile que l'on pourra secouer pour enlever la neige. Récemment, des experts ont prétendu que le fait de nourrir les oiseaux au sol contribuait à répandre chez eux certaines maladies. Cette hypothèse a toutefois été contredite par d'autres hommes de science.

Malgré ses inconvénients, la technique consistant à nourrir les oiseaux au sol présente un avantage qui en fait un excellent complément à l'utilisation de mangeoires. En effet, cette technique permet d'attirer des oiseaux qui, autrement, viendraient encombrer les mangeoires et en chasser les espèces plus timides. Une poignée de graines jetées sur le sol vous permettra de nourrir les moineaux, les pigeons, les vachers et les étourneaux sans qu'ils deviennent envahissants. Personnellement, je garnis une mangeoire pour les petits oiseaux craintifs et je répands deux tasses de graines au sol pour satisfaire l'appétit des nombreux pigeons qui m'attendent chaque matin sur les fils électriques. Je compte parfois jusqu'à 40 pigeons sur mon terrain et ils pourraient devenir une nuisance si je ne les nourrissais pas suffisamment à l'écart.

Concurrence

Peu importe comment on les nourrit, les oiseaux seront en concurrence pour venir s'alimenter. Les oiseaux de différentes espèces se querelleront et se donneront des coups de bec afin de se chasser mutuellement. Cela peut même se produire entre oiseaux de la même espèce. Un groupe de moineaux ou de vachers pourra se nourrir paisiblement jusqu'à ce qu'un étranger arrive et tente de les chasser. Avec le temps, vous apprendrez à reconnaître les individus les plus querelleurs.

Une année, un perroquet jaune qui s'était échappé d'on ne sait où faisait la loi parmi les moineaux qui me visitaient. Je l'ai surveillé de près, convaincue qu'il ne survivrait pas aux premières gelées. Avec le temps, je fus étonnée de le voir non seulement supporter le froid, mais terroriser les autres oiseaux. Les moineaux se présentaient habituellement tôt le matin et, vers 9 heures, ils étaient déjà un bon groupe à se nourrir. Lorsque le perroquet arrivait, il se mettait à voleter autour de la mangeoire en donnant des coups de bec jusqu'à ce que tous les autres soient partis. Il était si querelleur que même les pigeons n'osaient pas l'approcher. Les seuls oiseaux que le perroquet n'intimidait pas étaient des geais bleus, eux-mêmes très querelleurs. J'ai essayé plusieurs fois d'enfumer ce tyran, mais il est disparu aux premiers jours du printemps.

Je ne me soucie pas trop des querelles qui surviennent autour de la mangeoire. Au fond, tout cela est naturel. Les oiseaux sont en concurrence pour trouver de la nourriture, un partenaire ou un endroit où construire un nid. J'essaie cependant de réduire ces querelles en utilisant plusieurs mangeoires et en répandant des graines sur le sol. Ainsi, il y a plus d'espace pour tous. Même si les oiseaux sont en général jaloux de leur territoire, la plupart accepteront de manger en compagnie d'autres oiseaux.

Éloigner les chats et les écureuils

Les chats et les écureuils finissent par poser des problèmes à tous ceux qui nourrissent les oiseaux sauvages. Les écureuils sont attirés par la nourriture destinée aux oiseaux, tandis que les chats recherchent une proie facile. Je n'ai encore découvert aucune solution miracle à ce problème, mais je peux vous transmettre quelques suggestions.

Je nourris les oiseaux depuis plusieurs années et j'ai aussi deux chats que j'adore. Cela semble contradictoire et me pose des problèmes, mais je réussis quand même. Tout d'abord, les oiseaux qui visitent mon terrain réalisent très vite qu'il y a des chats dans les environs et ils se montrent plus prudents. Les geais bleus font des sentinelles très efficaces et lancent un cri terrible lorsqu'ils aperçoivent un chat. Ce rôle leur convient très bien, car ils passent beaucoup de temps dans les arbres d'où ils peuvent surveiller tout le terrain. Dès qu'un geai bleu lance son cri, tous les autres oiseaux s'envolent. Comme ils ont l'habitude d'être sur leur garde, mes oiseaux constituent des proies beaucoup moins faciles pour les autres chats du quartier. Les oiseaux nourris dans un environnement absolument sans danger sont beaucoup plus vulnérables.

J'ai quand même pris des mesures afin de calmer les instincts de chasseur de mes chats. Mes mangeoires sont installées haut dans les arbres et loin de toute branche où un chat pourrait s'embusquer. L'endroit où je répands les graines sur le sol est libre de toute plante qui pourrait dissimuler l'arrivée d'un chat. À l'époque où j'avais des mangeoires fixées à un poteau, j'utilisais un poteau métallique auquel les chats et les écureuils ne pouvaient grimper. Il m'est même arrivé de mettre une clochette aux colliers de mes chats afin de prévenir les oiseaux de leur arrivée. Si les chats de vos voisins vous créent des problèmes, vous pouvez leur donner de telles clochettes en cadeau. Toutes ces mesures sont efficaces, mais elles ne peuvent protéger les oiseaux à cent pour cent. Les chats réussiront quand même à capturer un oiseau de temps à autre. J'accepte ce phénomène naturel en sachant que les oiseaux qui périssent entre les griffes des chats sont beaucoup moins nombreux que ceux que je sauve des périls de l'hiver en les nourrissant.

Les écureuils peuvent aussi être très ennuyeux autour d'une mangeoire. J'en ai vu remplir leurs bajoues de graines de tournesol au point de ne plus pouvoir fermer la bouche. Ils peuvent augmenter considérablement votre facture d'aliments pour oiseaux et il est très difficile de les éloigner. Ils peuvent faire un saut de trois mètres pour atteindre une mangeoire à partir d'une branche ou d'un toit. Seuls les poteaux ou les câbles très lisses peuvent résister à ces habiles grimpeurs. Des cônes comme celui présenté au chapitre 6 ont une certaine efficacité, mais ils ne viendront pas à bout d'un écureuil vraiment décidé. Je sais que certains amateurs vont jusqu'à tendre des pièges ou à chasser les écureuils au fusil, mais j'adopte une attitude plus sereine. J'essaie de les éloigner de la mangeoire, mais s'ils réussissent à l'atteindre, je me dis qu'ils doivent bien manger eux aussi. Les écureuils ne font généralement aucun mal aux oiseaux et ces derniers finissent même par s'habituer à leur présence. Étant donné que les écureuils craignent les chats, il est peu probable que vous ayez les deux problèmes en même temps. Voilà ce que j'appelle voir les choses du bon côté !

CHAPITRE 3

Les aliments pour oiseaux

Il n'est pas difficile de trouver des aliments pour nourrir les oiseaux sauvages. On peut leur donner des restes de table, des mélanges de graines du commerce ou encore des recettes savantes préparées à la maison. Avec le temps, vous apprendrez ce qui convient le mieux à votre budget et à vos protégés. Il est bon d'essayer d'équilibrer le régime alimentaire des oiseaux et de favoriser la croissance d'aliments naturels dans les environs. Cela dit, on peut nourrir les oiseaux d'une infinité de manières différentes. Dans ce chapitre, nous aborderons les mélanges de graines du commerce, les restes de table, le lard et le beurre d'arachide, les mélanges faits sur mesures et les pains de lard et de graines. À la fin du chapitre, vous trouverez une description des régimes alimentaires convenant à chacune des espèces les plus courantes. Ces quelques pages vous faciliteront la préparation d'un menu.

Mélanges de graines du commerce

Les mélanges de graines du commerce sont les aliments pour oiseaux les plus couramment utilisés. Ils sont faciles à trouver, relativement peu coûteux et sont vendus dans une très grande variété de formats. Dans ma région, un détaillant spécialisé m'a dit vendre plus d'une tonne de mélanges de graines par semaine en sacs de 1 kg jusqu'à 25 kg. On trouve des petits sacs pratiques de ces mélanges dans les supermarchés et les magasins à rayons.

Les mélanges de graines du commerce présentent de nombreux avantages. Même si je prépare mes mélanges moi-même, j'en achète à l'occasion un gros sac de 25 kg. Si un tel format convient à mes besoins et à mon espace d'entreposage, ce n'est pas le cas de tout le monde. On peut aussi acheter ces mélanges en sacs de 1 kg, 1,5 kg, 2 kg ou 5 kg. Les petites quantités peuvent être conservées dans leur sac si les rats et les souris ne posent pas un problème. Je recommande cependant de conserver les plus grosses quantités dans des contenants en métal ou en plastique munis de couvercles fermant bien. Je garde entre 25 kg et 30 kg d'aliments pour oiseaux dans une poubelle en métal placée à l'arrière de la maison. Les graines sont ainsi à l'abri des souris et des intempéries tout en étant à portée de la main.

Les mélanges de graines du commerce ont aussi des inconvénients. Le principal est leur coût. Même si ces mélanges sont moins coûteux chez les détaillants spécialisés que dans les supermarchés, ils coûtent encore plus cher que ceux que l'on prépare soi-même. Bien sûr, si vous n'avez ni le temps ni le goût de faire vos propres mélanges, le coût supplémentaire peut être justifié. Il est également bon de savoir que le coût au kilo est beaucoup moins élevé lorsqu'on achète les mélanges en grande quantité. Encore là, il peut valoir la peine de payer un peu plus cher si l'on n'a pas l'espace d'entreposage requis.

Ce que je reproche le plus aux mélanges du commerce — sauf les plus réputés —, c'est qu'on y trouve toutes sortes de graines dont les oiseaux ne voudront pas. Les mélanges à bon marché contiennent souvent des graines de mauvaises herbes, des cosses d'avoine, de la paille et bien d'autres choses. Il faut choisir avec soin si l'on veut en avoir pour son argent.

Même les mélanges les plus réputés pourront ne pas convenir parfaitement à vos protégés. Ces mélanges sont conçus pour la sauvagine ou pour certaines espèces qui peuvent être différentes de celles qui fréquentent votre terrain. De plus, les fabricants modifient souvent leurs mélanges en fonction de la valeur des graines sur le marché. Cela ne pose toutefois pas un problème très grave. Généralement, les graines que les oiseaux aiment moins ne sont consommées qu'en dernier — mais ils les mangent quand même.

Avant d'acheter un mélange du commerce, lisez bien la liste de ses ingrédients. La plupart contiennent du mil, du millet, de l'avoine, du blé et des graines de tournesol. Ces ingrédients feront les délices de vos visiteurs. Méfiez-vous de tout mélange contenant une forte proportion de tout autre ingrédient. Assurez-vous que les oiseaux de votre région accepteront de manger de telles graines. Encore une fois, il vaut la peine de payer un peu plus cher et d'en avoir pour son argent.

Restes de table

Qui n'a pas un jour lancé des morceaux de pain aux oiseaux ? Les enfants adorent cela. Les oiseaux sauvages apprécieront presque tous les restes de table. Cela leur permet de varier leur menu et certains spécialistes affirment que le sel que contiennent les aliments de l'homme les rend particulièrement attrayants aux oiseaux. Même si je ne recommande pas de nourrir les oiseaux exclusivement avec des restes de table, c'est un excellent complément. Cependant, en répandant des restes de table sur le sol, on risque encore plus d'attirer des insectes ou de la vermine.

De tous les restes de table, les restes de pain sont les plus couramment employés, qu'il s'agisse de pain blanc, de pain noir ou de biscuits. Les cardinaux, les juncos, les carouges à épaulettes, les mainates, les geais, les merles, les pinsons et les troglodytes adorent les restes de pain. Ce n'est pas un aliment très nourrissant, mais ils l'aiment bien et il ne coûte pas cher. C'est aussi un bon moyen d'attirer de nouveaux oiseaux, car la couleur blanche est plus facile à repérer du haut des airs. Les oiseaux mettent parfois des semaines à découvrir une nouvelle mangeoire parce qu'ils n'y voient rien à manger. À cause de leurs couleurs, les graines sont difficiles à distinguer de loin ; en plus d'être plus clairs, les morceaux de pain peuvent aussi être plus gros. J'utilise avec succès les morceaux de pain lorsque j'installe une nouvelle mangeoire.

Les fruits et les noix constituent aussi d'excellents restes de table pour les oiseaux. Avant que leur coût devienne prohibitif, j'aimais bien donner des cacahuètes et des raisins secs à mes protégés. Ces délices disparaissaient de la mangeoire en quelques minutes. Les tranches et les morceaux de pommes sont aussi très populaires. Les fruits doivent en effet être coupés en bouchées convenant à des oiseaux. Cela permet d'éviter qu'un oiseau plus gros s'envole avec le fruit au complet. Les oiseaux adorent aussi les oranges, les pêches, les prunes et les raisins.

Vous serez étonné de voir quels restes de table font les délices des oiseaux de votre voisinage. Au début, j'ai été très étonnée que les moqueurs se régalent de restes de viande. Un matin, j'en ai vu un qui picorait les restes de côtes levées qui avaient adhéré à la grille du barbecue. Je donne aux oiseaux toutes sortes de restes de table : du fromage, du riz, des pommes de terre, du macaroni, du gruau, des haricots, etc. Lorsque je leur donne un aliment pour la première fois, je l'enlève de la mangeoire s'il s'y trouve encore après quelques heures. Si vous avez de nombreux visiteurs réguliers, certains d'entre eux découvriront votre « nouveauté » en moins de quelques heures. S'ils n'y touchent pas, il vaut mieux l'enlever.

Les aliments secs pour chiens font un excellent complément alimentaire pour les oiseaux. La plupart de ces aliments sont faits à base de céréales et permettent d'augmenter la valeur protéinique de leur régime alimentaire. Je préfère les aliments pour chiens aux aliments pour chats parce qu'ils coûtent moins cher. On peut les concasser au mélangeur ou avec un rouleau à pâtisserie.

Bien entendu, ce ne sont pas tous les types de mangeoires qui peuvent convenir aux restes de table. Plusieurs modèles ne peuvent pas recevoir de gros morceaux de pain ou de fruits. À mon avis, la mangeoire à plateau est idéale. On peut y mettre n'importe quel reste à l'abri des insectes, des rats, des souris, des chats, des chiens et des enfants.

Lard et beurre d'arachide

Avec l'arrivée de la saison froide, les besoins énergétiques des oiseaux deviennent énormes. Non seulement ont-ils besoin de plus d'énergie pour survivre, mais leurs sources d'alimentation deviennent de plus en plus rares. À cettte époque de l'année, les graines et les autres aliments végétaux sont très importants. Les oiseaux ont aussi besoin d'aliments pouvant être transformés rapidement en calories ; c'est pourquoi on doit leur donner du gras. Les matières grasses ont un rendement énergétique de beaucoup supérieur aux aliments végétaux. Pour répondre à ces besoins, il faut garnir la mangeoire de lard, de beurre d'arachide ou d'autres matières grasses.

Le lard est sans doute la source la plus économique de matières grasses. On le trouve facilement et on peut le servir de différentes façons. C'est l'idéal pour remplacer les insectes et les larves dans l'alimentation hivernale des oiseaux.

En y mettant du lard, vous constaterez que de nouvelles espèces d'oiseaux viendront visiter votre mangeoire. Certains oiseaux sont si insectivores qu'il leur répugne de manger des graines. Ce sont eux qui se jetteront sur vos morceaux de lard lorsque les insectes deviendront rares. Ces amateurs comprennent les pics, les geais, les mésanges, les étourneaux, les moqueurs, les merles, les grives, les roitelets, les troglodytes, les orioles, les juncos et les pinsons.

Mon boucher me vend ses surplus de lard pour environ 25 cents le kilo — 35 cents, si je lui demande de le passer au hachoir. Étant donné qu'il me faut à peine un peu plus d'un kilo par mois, c'est une véritable aubaine. Il m'a cependant fallu faire le tour de plusieurs boucheries avant de trouver un fournisseur fiable. La plupart des supermarchés reçoivent leurs viandes déjà débitées, ce qui ne leur laisse que très peu de surplus de gras. Lorsque la viande est débitée chez le grossiste, le lard est utilisé pour la fabrication d'autres produits. Lorsque je le lui demande, mon boucher conserve le gras qu'il enlève des rôtis ou des biftecks pendant quelques jours.

On peut mettre les morceaux de lard directement dans la mangeoire ou dans le creux d'un arbre. Cependant, si les morceaux sont assez petits pour qu'un oiseau puisse les transporter ailleurs, c'est ce qu'il fera. Les geais, les mainates, les moqueurs et même les petits pinsons essaient généralement de tout garder pour eux. Pour éviter cela, je conseille de mettre le lard dans une sorte de cage. Il peut s'agir tout simplement d'un morceau de grillage fixé au tronc d'un arbre et fermé dans le bas, comme on peut le voir à la figure 3-1. Des mailles de 1/2″ seront suffisamment grandes pour que les oiseaux puissent picorer le lard, mais les empêcheront de s'envoler avec tout le morceau. Plusieurs modèles de mangeoires comprennent un dispositif pour distribuer le lard. Nous y reviendrons au chapitre 6.

On peut aussi mettre le lard dans un sac en filet, comme ceux dans lesquels on emballe les oignons. Il faut toutefois s'assurer que les mailles sont assez grandes. Mes sacs préférés sont les sacs en plastique dans lesquels on emballe les dindons. Ils sont très résistants et leurs mailles sont juste de la bonne grandeur. Lorsqu'on utilise un sac, il suffit de le suspendre à une branche ou à la mangeoire.

Je demande généralement au boucher de passer le lard au hachoir pour deux raisons. Tout d'abord, le lard haché grossièrement est beaucoup plus facile à picorer pour les oiseaux. Lorsqu'il fait froid, les oiseaux peuvent avoir beaucoup de mal à prendre une bouchée à même un gros morceau. De plus, lorsque le lard est haché, cela élimine tout risque de voir un gros oiseau réussir à

40

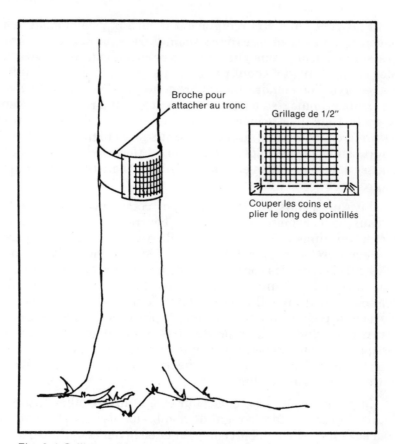

Fig. 3-1 Grillage plié pour supporter du lard

s'envoler avec toutes les provisions. La deuxième raison pour laquelle je préfère le lard haché, c'est qu'il est alors beaucoup plus facile de le faire fondre afin de le servir dans une auge ou un autre contenant. Encore une fois, nous y reviendrons au chapitre 6.

Voici quelques mises en garde au sujet du lard. Même par temps froid, le lard fondra lentement et pourra s'écouler de son support, faisant ainsi de vilaines taches aux branches et au tronc des arbres. De plus, les chats adorent le lard et feront l'impossible pour s'en approprier. J'ai déjà vu mon gros chat grimper au sommet de l'arbre où j'avais attaché un sac de lard ; se tenant sur trois pattes, il a sectionné le sac avec ses griffes et est redescendu avec le morceau de lard dans la bouche. Il importe donc de placer le lard à l'abri de tous les gourmands importuns.

Plusieurs amateurs remplacent le lard par de la graisse de bacon ou d'autres graisses de cuisson. J'ai essayé plusieurs fois la graisse de bacon, mais j'ai toujours eu des résultats décevants. Mes visiteurs n'y touchent pas à moins qu'il n'y ait rien d'autre. J'ai essayé d'en étendre sur les branches et d'en mélanger avec des graines, mais rien à faire : les oiseaux de ma région n'aiment pas cela. Cela illustre bien l'importance d'apprendre à connaître les préférences alimentaires des oiseaux de sa région. Il est tout à fait possible que des espèces d'oiseaux différentes raffolent de la graisse de bacon. Faites-en l'essai. Cela peut constituer une source de gras très économique.

Lorsque j'étais enfant et que j'ai commencé à nourrir les oiseaux, je leur donnais souvent du beurre d'arachide en hiver. C'était un aliment économique, facile à utiliser, et mes espèces d'oiseaux préférées en raffolaient. À l'école, je me souviens que nous garnissions des cônes de pin de beurre d'arachide, puis que nous les roulions dans des graines avant de les suspendre aux branches des arbres. Il fallait environ le tiers d'un pot de beurre d'arachide pour garnir un gros cône de pin. C'était à l'époque où le beurre d'arachide était un produit très peu coûteux. Récemment, lorsque j'ai voulu répéter la même activité avec mes élèves de l'élémentaire, j'ai réalisé que le beurre d'arachide était devenu une denrée presque de luxe.

Même s'il coûte trop cher pour être utilisé régulièrement, le beurre d'arachide fait le régal de nombreux oiseaux et constitue pour eux un excellent apport énergétique en hiver. Les grimpereaux, les mésanges et les sittelles en sont friands, tout comme la plupart des autres insectivores. On m'a raconté que certaines personnes achetaient des lots de beurre d'arachide dont la date de consommation était échue pour en nourrir les oiseaux. Si vous pouvez le faire, sautez sur l'occasion ; vos protégés vous en seront reconnaissants.

Pour servir du beurre d'arachide aux oiseaux, les méthodes les plus simples sont encore les meilleures. Garnissez-en des cônes de pin, répandez-en sur le tronc et les branches des arbres ou encore servez-le dans des contenants fixés aux arbres ou aux mangeoires. Comme nous le verrons au chapitre 6, on peut aussi servir le beurre d'arachide dans des auges.

Tout comme les chats adorent le lard, les écureuils raffolent du beurre d'arachide. Ils sont encore plus motivés à voler du beurre d'arachide qu'à chaparder des graines. S'ils deviennent vraiment importuns, vous pouvez remplacer le beurre d'arachide par du lard pendant un certain temps. Ils finiront par s'en aller.

Mélanges sur mesure

Avec le temps et l'expérience, vous voudrez sans doute préparer vos propres mélanges de graines. Je le recommande fortement, car c'est le seul moyen d'en arriver à un mélange qui convient parfaitement aux oiseaux des environs. Avec un mélange sur mesure, on élimine les pertes qui sont inévitables avec un mélange du commerce. Une fois qu'on sait quelles sont les graines préférées de ses protégés, on peut préparer un mélange dont ils ne laisseront rien. Vous pourrez aussi ajouter à votre mélange certains ingrédients destinés à attirer des espèces d'oiseaux spécifiques. Par exemple, les grains de maïs sont beaucoup moins coûteux que les mélanges du commerce et les pigeons en raffolent. Si vous comptez de nombreux pigeons parmi vos clients, il sera beaucoup plus économique de leur servir des grains de maïs qu'un mélange du commerce. Rien ne vaut un mélange préparé sur mesure pour répondre aux besoins spécifiques des oiseaux d'une région en particulier.

À moins d'avoir été élevé sur une ferme, vous serez étonné d'apprendre à quel point les aliments qu'on peut donner aux oiseaux sont variés. Vous trouverez dans la plupart des boutiques spécialisées du millet, des graines de tournesol, de l'avoine, du blé, du mil, de l'orge et des grains de maïs. Les fournisseurs qui comptent de nombreux amateurs d'oiseaux parmi leurs clients offrent aussi des graines de chanvre, de blé noir, de colza et de plusieurs autres plantes. Avec l'expérience, vous saurez lesquelles il faut choisir pour préparer votre mélange. Achetez environ 500 g de chaque type de graines et faites-en l'essai dans une mangeoire à plateau. Lorsque je fais de telles expériences, je place les différentes graines dans les divers compartiments de l'assiette en aluminium d'un repas surgelé. En observant quelles graines disparaissent le plus vite, on en vient rapidement à connaître les goûts de ses visiteurs. Limitez votre choix à ces graines et vous attirerez le maximum d'oiseaux d'une façon économique.

Le coût est évidemment un facteur important lorsqu'on choisit des graines. Même si un mélange qu'on prépare soi-même coûte moins cher qu'un mélange équivalent du commerce, son coût peut varier considérablement selon les graines qu'on y met. En consommateur avisé, il s'agit de pondérer le coût des ingrédients avec le degré de satisfaction des oiseaux. Il faut aussi se méfier des graines qui semblent peu coûteuses, mais dont une grande partie n'est pas comestible. Il faut se demander combien d'oiseaux un kilo de chaque ingrédient pourra nourrir. C'est le meilleur moyen d'en avoir pour son argent.

Les recherches les plus récentes font ressortir que les préférences des oiseaux vont à deux types de graines : les graines de millet (ou graines pour perroquets) et les graines de tournesol. Cette découverte confirme ce que j'avais moi-même pu observer. En plus d'être appréciées des oiseaux, ces graines sont toujours disponibles et comptent parmi les moins coûteuses. Tous les granivores raffolent du millet. Quant aux graines de tournesol, elles sont particulièrement prisées par les cardinaux, les roselins, les sittelles, les bec-croisés, les mésanges, les mainates et les geais. Si l'espace le permet, vous pouvez cultiver des tournesols et récolter leurs graines ou encore les laisser sur les fleurs pour que les oiseaux y picorent. À mon avis, tout mélange de graines pour oiseaux doit contenir ces deux graines comme élément de base. Les autres graines serviront à équilibrer le régime alimentaire ou à attirer des espèces particulières.

À mesure que le nombre de vos visiteurs augmentera, vous pourrez ajouter des grains de maïs, de mil et de blé à votre mélange. Ces ingrédients sont vendus comme nourriture pour poulets en sacs de 12 kg ou 25 kg. Il s'agit d'un moyen économique pour allonger un mélange. Plusieurs espèces d'oiseaux mangent ces graines, notamment les graines de maïs, qui font les délices des mainates, des pigeons, des geais et des moineaux. Ces ingrédients économiques permettent de nourrir à meilleur compte les pigeons et autres gourmands qui fréquentent votre mangeoire.

Après avoir expérimenté les différents types de graines pour connaître les préférences des oiseaux de la région, après avoir soigneusement analysé leur coût, vient le moment d'acheter les ingrédients et de les mélanger. Je recommande d'obtenir les prix de plusieurs fournisseurs, car ils peuvent varier de façon importante. J'ai constaté que les détaillants qui ont une clientèle urbaine ont des prix plus élevés que ceux qui vendent aux agriculteurs. Si vous pouvez vous approvisionner auprès d'un fournisseur agricole, profitez-en. Non seulement y trouverez-vous des aubaines, mais aussi des graines et des conseils pratiques qu'on ne trouve nulle part ailleurs.

À moins que vous achetiez vos ingrédients en gros sacs de 12 kg ou 25 kg, vous pourrez examiner le produit vendu en vrac.

Vérifiez s'il contient beaucoup d'herbes ou d'autres éléments non comestibles. Les graines doivent aussi être bien sèches et glisser entre les doigts lorsqu'on en prend une poignée. Leur odeur doit être agréable, comme celle du gazon, et ne donner aucun signe de moisissure. Si vous doutez de la qualité du produit, ne l'achetez pas. Il suffit de quelques graines moisies pour gâter tout un mélange.

À votre retour du magasin, vous aurez vos divers ingrédients emballés individuellement dans des sacs en papier ou en plastique. Pour faire le mélange et le remiser, je recommande l'emploi d'une poubelle avec couvercle. Personnellement, j'utilise une grosse poubelle en acier galvanisé qui peut contenir environ 45 kg de mélange, c'est-à-dire des provisions pour presque un mois. Un couvercle étanche est essentiel pour éviter la formation de moisissure et pour faire obstacle aux chapardeurs à quatre pattes. Je n'ai aucun problème avec les chats, les rats ou les souris, mais ils peuvent faire des ravages si vous remisez votre mélange au garage dans des sacs en papier ou en plastique. La grande ouverture d'une poubelle facilite en outre le déversement des ingrédients (c'est particulièrement important lorsqu'on les achète en gros sacs) et leur utilisation. De plus, grâce à ses poignées, la poubelle est beaucoup plus facile à transporter qu'un grand sac en plastique ou une boîte en carton.

Lorsque vous faites le plein de votre contenant de mélange, prenez toujours soin de le vider des graines qui y restent. Remettez ensuite ces graines sur le dessus du mélange afin qu'elles soient données les premières aux oiseaux. Si vous laissez les restes de mélange au fond du contenant, vous risquez qu'il s'y forme de la moisissure. Pour mélanger de grandes quantités de graines (12 kg ou plus), il est préférable de verser un peu de chaque ingrédient à la fois. Cela permet d'obtenir un mélange plus homogène. Personnellement, je verse environ un sixième de la quantité totale de chaque ingrédient, puis je mélange bien avant d'en ajouter un autre sixième. Cela ne demande pas beaucoup plus de temps et le mélange obtenu est plus uniforme.

Bien que je vous encourage à créer votre propre mélange en fonction des préférences des oiseaux de votre région, je vous suggère une recette de base qui m'a toujours donné de bons résultats. C'est un mélange peu coûteux qui utilise des ingrédients toujours disponibles sur le marché. Je vous rappelle toutefois qu'il importe de choisir un mélange du commerce de marque réputée. Voici cette recette :

12 kg de mélange du commerce pour oiseaux sauvages
7 kg de millet
5 kg de graines de tournesol
5 kg d'aliments pour volailles

Mélangez ces ingrédients et faites-en l'essai. Vous pourrez ensuite adapter le mélange à vos besoins en remplaçant ou en ajoutant des ingrédients.

Pains de lard et de graines

En préparant des pains de lard et de graines, vous pourrez assurer à vos protégés un régime alimentaire bien équilibré d'une manière pratique. De tels pains sont faits de gras fondu mélangé à divers ingrédients : millet, miettes de pain, flocons d'avoine, etc. C'est facile et amusant à préparer, surtout pour les enfants, et les oiseaux adorent cela.

Il existe une grande variété de recettes de pains de lard et de graines. Pour juger de leur valeur, il suffit de voir si les oiseaux les apprécient. Le choix d'une recette dépendra des mêmes facteurs que le choix des ingrédients d'un mélange de graines. Il s'agit de choisir des ingrédients que les oiseaux accepteront de manger et qui leur apporteront un régime équilibré. Encore là, quelques essais vous permettront de connaître les préférences de vos amis à plumes. La façon la plus simple d'y arriver consiste à offrir différentes recettes en même temps dans des compartiments distincts ; en quelques jours, vous saurez laquelle a connu le plus de succès.

L'ingrédient principal des pains de lard et de graines est, bien sûr, le lard. Comme nous l'avons vu précédemment, il s'agit d'un aliment à haute teneur énergétique qui est peu coûteux et qui se conserve facilement. Les insectivores en raffolent particulièrement lorsque les insectes se font rares. On peut servir le lard en morceaux, haché grossièrement, ou encore fondu et moulé en pain. Je vous recommande de demander au boucher de passer le lard au hachoir ; cela ne coûte presque rien et vous évitera d'avoir à le faire vous-même. En effet, il est beaucoup plus facile de faire fondre du lard qui est haché.

Le lard haché devrait fondre uniformément à feu doux ou moyen. S'il n'est pas haché, détaillez-le en très petits cubes avant de le faire fondre. Pour obtenir une consistance lisse qui facilitera l'incorporation des autres ingrédients, laissez prendre le lard au frais et faites-le fondre à nouveau. Personnellement, je saute cette étape, car je préfère des pains qui ont quelques grumeaux. C'est une question de goût.

Pendant que le lard fond, rassemblez les moules que vous utiliserez et les autres ingrédients. Le choix des moules dépendra de la forme et de la taille que vous voulez donner aux pains. J'utilise des moules à pain en aluminium, des contenants de margarine en plastique et même des bacs à glaçons. Quant aux autres ingrédients, vous pouvez mélanger au lard n'importe quel aliment pour oiseaux : des miettes de pain, des graines, des grains de maïs, des raisins secs, de la nourriture sèche pour chiens, etc. Versez les ingrédients secs dans les moules jusqu'à mi-hauteur, puis remplissez-les de lard fondu. Laissez ensuite prendre le mélange au frais. Pour accélérer le processus, vous pouvez mettre les moules au réfrigérateur ou au congélateur. Lorsque le pain est bien pris, démoulez-le et mettez-le dans une mangeoire ou un sac en filet. Les pains de lard et de graines peuvent se conserver très longtemps sans réfrigération et presque indéfiniment au congélateur.

Au cours des ans, j'ai essayé de nombreuses recettes de pain de lard et de graines afin d'utiliser les ingrédients que j'avais sous la main. Un jour, tout à fait par hasard, j'ai utilisé des restes de nourriture que mes enfants donnaient à leurs tortues. Je savais qu'il s'agissait d'une nourriture à haute teneur protéinique et j'espérais que le mélange plairait aux oiseaux insectivores. Cette recette a connu un très grand succès et, depuis, je mets toujours une portion d'aliments pour tortues ou pour poissons dans mes pains. Tout ce qu'on trouve dans les animaleries, des larves de mouches jusqu'aux crevettes séchées, connaîtront un vif succès à moins que le produit ait une saveur de poisson trop prononcée. Là encore, vos expériences personnelles vous permettront de découvrir quelle est la recette idéale. Comme point de départ, je vous recommande la recette de base suivante :

1 tasse de pain émietté grossièrement
1 tasse de graines de millet
1 petit sachet de larves ou de vers séchés
assez de lard fondu pour former un pain

Versez le mélange d'ingrédients secs dans les moules jusqu'à mi-hauteur et remplir de lard fondu. Brassez et laissez prendre de la manière indiquée précédemment.

Grenailles

Les gens oublient très souvent de donner des grenailles aux oiseaux. Il s'agit pourtant d'un élément important dans leur régime alimentaire. C'est ce qui leur permet de broyer les graines et les autres aliments qu'ils consomment, un peu comme les dents chez l'être humain. On peut mettre des grenailles dans les mangeoires, dans des contenants spéciaux fixés aux mangeoires ou dans des pains de lard et de graines. Les grenailles pourront être constituées de sable fin, de charbon de bois émietté ou de coquilles d'œufs écrasées. Les coquilles d'œufs ont l'avantage additionnel de constituer une source de calcium. Bien sûr, les grenailles ne sont pas aussi importantes que les aliments, l'eau, les abris ou les refuges. Cependant, pourquoi ne pas rendre la vie plus facile à nos protégés ?

Régimes pour les espèces courantes

Avant de commencer à nourrir les oiseaux, vous effectuerez mentalement un inventaire des différentes espèces que vous pouvez espérer attirer dans votre jardin. Cet inventaire vous permettra entre autres de choisir les aliments que vous mettrez dans vos mangeoires. Si vous désirez surtout attirer des insectivores, le lard constituera un élément important du menu offert. Les oiseaux qui aiment les fruits seront pour leur part attirés par des pommes, des raisins frais ou des raisins secs. L'inventaire déterminera également les ingrédients du mélange de graines utilisé pour attirer les granivores. Il existe de nombreux livres sur le sujet, mais le débutant pourra profiter des règles générales données ci-dessous.

Avant de présenter ces régimes, il importe de dire que les besoins alimentaires des oiseaux ne sont pas constants. Pour une même espèce, le régime idéal pourra varier selon la région et la disponibilité d'aliments dans la nature. Les besoins alimentaires des oiseaux varient également selon les saisons. Les insectivores accepteront de manger des graines en hiver lorsque les insectes ont disparu. Les règles qui suivent ne sont pas coulées dans le béton et ne constituent qu'un point de référence.

Bruant. Le bruant est surtout un granivore, mais il pourra aussi manger quelques insectes. Offrez-lui un bon mélange de graines avec des fruits et des noix.

Caille. Comme la sauvagine en général, la caille est attirée par les mélanges de graines. De la nourriture pour poulet ou des grains de maïs feront de la caille une habituée de votre mangeoire. À l'état naturel, le régime de la caille se compose à 40 % de matières animales et à 60 % de végétaux.

Cardinal. Ces oiseaux colorés sont des habitués des mangeoires. Ils préfèrent se nourrir tôt le matin ou tard l'après-midi. Ils aiment particulièrement les graines de tournesol et les mélanges de graines, les mûres, les bleuets, les cerises et les raisins sauvages, ainsi que la plupart des baies.

Chardonneret. Le chardonneret appréciera les mélanges de graines et les fruits. Dans la nature, il mange principalement les graines de plusieurs arbres.

Corneille. La corneille est assez téméraire pour fréquenter les mangeoires situées en banlieue des grandes villes. Généralement, les corneilles se déplacent par groupes de deux à quatre oiseaux. Leur régime alimentaire se compose à 80 % de matières végétales et elles raffolent des grains de maïs.

Fauvette. En été, on peut attirer la fauvette en lui offrant des fruits, des baies et des raisins secs. En hiver, elle appréciera un mélange de graines, des graines de tournesol et des morceaux de pain. À l'état naturel, la fauvette se nourrit de graines de pin, de baies et de fruits sauvages.

Geai. Le geai est un visiteur régulier des mangeoires. Son régime très varié se compose à 75 % de matières végétales. Il apprécie les mélanges de graines, les graines de tournesol, les glands, les fruits, le lard, le beurre d'arachide et les restes de table. Le geai mange également les graines de nombreux arbres, des baies et des noix sauvages.

Grimpereau brun. Vous pourrez voir et entendre un grimpereau brun perché dans un arbre, mais rarement sur une mangeoire. Cet insectivore ne mange que très peu de végétaux. Il sera toutefois attiré par du lard ou du beurre d'arachide placé dans les arbres à proximité de ses sources d'alimentation naturelles.

Grive. Agréable chanteur, c'est un oiseau que vous voudrez attirer dans votre jardin. En hiver, la grive appréciera le lard, les mélanges de graines et les fruits. Dans la nature, cet oiseau se nourrit de baies et de fruits sauvages.

Jaseur des cèdres. Les jaseurs se déplacent souvent en grands groupes et vous aurez tout un spectacle s'ils s'arrêtent chez vous. Comme ils n'aiment pas beaucoup se nourrir aux mangeoires, le meilleur moyen de les attirer consiste à cultiver les aliments qu'ils préfèrent, c'est-à-dire la plupart des baies et des petits fruits sauvages.

Junco. Les juncos sont des habitués des mangeoires et seront attirés par un bon mélange de graines. Dans la nature, ils mangent des graines de pin et de petits fruits.

Mainate bronzé. Le mainate bronzé est un habitué bruyant des mangeoires. Il apprécie les mélanges de graines, les fruits, le lard, les graines de tournesol, les grains de maïs et les restes de table.

Merle américain. Le régime alimentaire du merle américain se compose à parts égales de matières végétales et animales. À la mangeoire, il préférera le lard, les fruits et les restes de table aux mélanges de graines. Dans la nature, le merle américain se nourrit de baies et de fruits sauvages.

Merle bleu. Le régime alimentaire du merle bleu se compose de 65 % à 80 % de matières animales et, pour le reste, de matières végétales. Il appréciera les cerises et les raisins sauvages, les bleuets, les baies de cornouiller, de cèdre, de sureau et autres baies sauvages. On peut l'attirer avec des fruits.

Mésange. Le régime alimentaire de la mésange se compose à 80 % de matières animales. On peut quand même l'attirer avec du lard ou du beurre d'arachide. Offrez-lui aussi un mélange de graines comprenant des fruits et des graines de tournesol. Dans la nature, la mésange mange également les graines de nombreux arbres.

Mésange huppée. La mésange huppée est principalement insectivore, mais elle appréciera trouver, surtout en hiver, une mangeoire garnie de mélanges de graines, de lard, de fruits et de graines de tournesol. À l'état naturel, la mésange huppée se nourrit de raisins sauvages, de graines de conifères, de noix et de baies.

Moqueur. Le moqueur est un autre habitué des mangeoires, même s'il ne raffole pas des mélanges de graines. Ses préférences vont au lard, aux graines de tournesol, aux fruits et aux restes de table. Dans la nature, le moqueur mange surtout des baies et des fruits sauvages.

Moqueur-chat. Le régime alimentaire du moqueur-chat se compose à parts égales de matières végétales et animales. Il apprécie particulièrement tous les types de baies et de petits fruits. Bien que parfois assez agressif pour faire fuir les oiseaux plus craintifs, le moqueur-chat fréquentera les mangeoires à la recherche de graines, de fruits et même de restes de table.

Moqueur roux et **moqueur des armoises**. Si vous demeurez près d'une forêt, vous pourrez observer ces deux membres de la famille des moqueurs. Leur régime se compose à 40 % de matières animales et, pour le reste, de végétaux. Ces moqueurs apprécient les graines de pin, les baies et les petits fruits sauvages.

Oriole. L'oriole est surtout insectivore et à peine 25 % de son régime se compose de végétaux. On peut l'attirer à la mangeoire avec des baies ou des petits fruits.

Pic. Les pics sont surtout insectivores, mais ils n'hésiteront pas à visiter une mangeoire, surtout pour y trouver du lard. Les pics de ma région se régalent aussi des graines de tournesol qu'ils trouvent dans mon mélange de graines. À l'état naturel, cet oiseau complète son régime en mangeant des graines de conifères, des baies et des fruits sauvages.

Pigeon et **tourterelle**. Les pigeons et les tourterelles sont surtout granivores, même s'ils peuvent manger des insectes à l'occasion. Si des oiseaux de ces espèces se trouvent dans votre région, vous n'aurez aucun mal à les attirer en grand nombre avec des mélanges de graines et des grains de maïs.

Pinson. Le régime alimentaire du pinson se compose à 65 % de végétaux. À l'état naturel, il se nourrit de baies et de fruits sauvages. S'il y trouve des mélanges de graines, du lard, des fruits, des noix, des graines de tournesol ou des restes de table, il deviendra un habitué de votre mangeoire.

Roîtelet. Bien que le roîtelet soit presque exclusivement insectivore, il viendra manger des graines à la mangeoire en hiver. Il appréciera encore plus le lard.

Roselin. Même s'il mange quelques insectes, le roselin consomme presque exclusivement des graines et autres matières végétales. N'importe quel bon mélange de graines comprenant des graines de tournesol attirera cet oiseau à la mangeoire. Dans la nature, le roselin mange principalement des baies sauvages et les graines de plusieurs arbres.

Sittelle. Ce petit oiseau bavard fréquente les hautes branches, mais il acceptera de se nourrir à une mangeoire s'il s'y sent en sécurité. La sittelle apprécie plusieurs variétés de graines, ainsi que le lard et le beurre d'arachide. Dans la nature, cet oiseau mange des graines d'arbres, des noix et des baies sauvages.

Tangara. Cet adorable petit oiseau raffole des fruits et on peut lui offrir des pommes, des baies, des oranges et des raisins, frais ou secs. À l'état naturel, le tangara se nourrit principalement de baies et de fruits sauvages.

Tohi. Même s'il est surtout insectivore, le tohi fréquentera les mangeoires qui se trouvent à proximité de son nid ou de son site d'hivernation. C'est un oiseau qui quitte rarement les forêts où il se nourrit de graines de conifères, de fruits et de baies sauvages. Offrez-lui des baies, des fruits, du lard et un mélange contenant des graines de tournesol.

Troglodyte. Presque exclusivement insectivore, le troglodyte fréquentera néanmoins les mangeoires au moment de la nidification et à l'approche de l'hiver. On peut lui offrir des fruits et un mélange de graines, mais il préférera du lard.

CHAPITRE 4

Les abris, l'eau et les autres besoins

U ne mangeoire garnie régulièrement d'aliments appropriés attirera de nombreux oiseaux dans votre jardin. Cependant, pour qu'ils viennent en plus grand nombre, pour qu'ils construisent leurs nids près de chez vous et pour qu'ils acceptent d'y passer l'hiver, vous devrez aussi répondre à leurs autres besoins. Cela ne diminue en rien l'importance d'une bonne source d'alimentation pour les oiseaux, mais souligne plutôt que certains besoins peuvent être comblés facilement et permettre d'attirer un plus grand nombre de visiteurs.

Abris

Pratiquement n'importe quoi peut constituer un abri pour un oiseau sauvage : un feuillage dense, une maisonnette pour oiseaux, le dessous d'un viaduc ou le mur d'un bâtiment qui est à l'abri du vent. Lorsqu'on observe les oiseaux par un froid matin d'automne, on se demande où ils ont bien pu s'abriter. Le simple fait d'y réfléchir permet déjà de trouver des solutions pour leur venir en aide. Généralement, il peut s'agir d'une solution très simple.

Abris pour l'hiver

Un abri doit simplement permettre aux oiseaux d'échapper aux rigueurs de l'hiver. Comme nous l'avons vu plus tôt, l'hiver est le pire ennemi des oiseaux. Malgré leur mécanisme physiologique de défense contre le froid, dont la capacité de ralentir leur métabolisme pour conserver leur énergie, les rigueurs de l'hiver font périr un grand nombre d'oiseaux chaque année.

Dans la nature, les oiseaux s'abritent dans les arbres denses qui les entourent. Les pins, les cèdres et les autres conifères constituent des abris naturels pour les oiseaux. Pendant la dure saison, les oiseaux vont même jusqu'à oublier leur instinct de protection territoriale et acceptent de partager un abri avec une autre espèce. Si vous avez des conifères denses sur votre terrain, ils seront largement utilisés. Si vous n'en avez pas, vous pouvez toujours planter quelques espèces à croissance rapide. La plupart de ces arbres sont très décoratifs et ils fourniront un abri convenable en relativement peu de temps.

Les arbustes denses à feuillage persistant constituent aussi d'excellents abris. Les espèces d'oiseaux qui préfèrent nicher à proximité du sol aimeront y trouver refuge. Une haie peut accueillir de nombreux oiseaux pendant toute la durée de l'hiver. Nous verrons au chapitre 5 quelles espèces d'arbres et d'arbustes offrent un abri intéressant pour les oiseaux.

Si votre région connaît des hivers particulièrement rigoureux, vous pourrez construire et installer quelques boîtes qui serviront d'abris aux oiseaux. Il suffit d'une simple boîte en bois de 12″ à 18″ de largeur par 24″ à 36″ de hauteur et profonde d'environ 12″. On fixe ensuite la boîte sur le côté d'un arbre ou d'un bâtiment qui est à l'abri des vents dominants. À l'intérieur de la boîte, des perchoirs permettront aux oiseaux de dormir sans être empilés les uns sur les autres. L'ouverture de la boîte devrait être pratiquée le plus près possible du plancher afin de limiter les pertes de chaleur.

Si la boîte est solidement installée à un endroit sûr avant le début de l'hiver, les oiseaux auront le temps de s'y habituer et l'utiliseront pendant toute la saison froide. Par des nuits très froides, la boîte accueillera même plus que son lot de locataires. En temps normal, la boîte servira d'abri à des résidents permanents et à quelques oiseaux de passage. Même s'ils se querellent à la mangeoire, les oiseaux seront relativement pacifiques dans la boîte. Il m'a rarement été donné de voir des oiseaux agressifs empêcher les autres d'entrer dans la boîte.

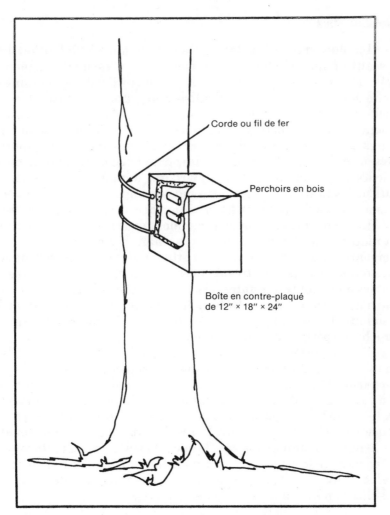

Fig. 4-1 Boîte servant d'abri aux oiseaux en hiver

Un autre abri simple peut être fait en construisant une étagère fermée sur un ou deux côtés et munie d'un toit protégeant les oiseaux contre les intempéries. Cette étagère peut même être fabriquée sans toit et placée à un endroit exposé au soleil. Elle fournira aux oiseaux un endroit chaud à l'abri du vent.

Maisonnettes

La plupart des abris fabriqués par l'homme à l'intention des oiseaux prennent la forme de maisonnettes. C'est un passe-temps très vieux que les Amérindiens pratiquaient il y a des centaines, voire des milliers d'années. Réalisant la grande utilité des hirondelles pourprées comme chasse-insectes, les Amérindiens installaient des maisonnettes faites de courges évidées au sommet de longs poteaux plantés dans leurs campements. Ayant appris cette technique des Amérindiens, les premiers colons l'ont transmise à leurs descendants. Encore aujourd'hui, dans les régions rurales du sud des États-Unis, on peut voir des grappes de courges évidées suspendues à des poteaux à l'intention des hirondelles pourprées.

Les maisonnettes ont généralement pour fonction de faciliter la nidification plutôt que de servir d'abri. Cependant, plusieurs personnes laissent leurs maisonnettes ouvertes à l'année longue. Ces maisonnettes sont très recherchées en hiver, non seulement par les moineaux et les autres oiseaux, mais aussi par les écureuils qui n'hésiteront pas à s'y établir. Si les maisonnettes sont utilisées pendant l'hiver, il importe cependant de bien les nettoyer avant la prochaine période de nidification.

Peu importent les fonctions auxquelles on les destine, les maisonnettes doivent être conçues, fabriquées et installées correctement. Nous aborderons ce sujet plus en détail au chapitre 7. On y trouvera entre autres des tableaux indiquant les dimensions et les formes qui conviennent le mieux aux différentes espèces d'oiseaux. Ces données sont le résultat de plusieurs années de recherche et il importe de savoir que plusieurs oiseaux refuseront de construire leur nid dans une maisonnette dont les dimensions ne leur conviennent pas parfaitement. Vous obtiendrez de meilleurs résultats en suivant ces conseils à la lettre.

Alimentation en eau

Des recherches ont démontré que certains oiseaux doivent parcourir près d'un kilomètre pour trouver de l'eau, à partir de leur nid ou du lieu où ils se nourrissent. Il s'agit d'une distance appréciable qui fait ressortir l'importance de répondre à cet autre besoin des oiseaux : une source d'eau.

Il est très facile de fournir de l'eau aux oiseaux et cela contribuera à augmenter le nombre de vos visiteurs. Certains de mes visiteurs réguliers ne fréquentent mon jardin que pour trouver de l'eau et ne s'approchent jamais des mangeoires ou des maisonnettes. Ils viennent chez moi chaque jour pour prendre un bain. Très souvent, je peux observer deux groupes distincts d'oiseaux sur mon terrain : les résidents qui sont établis chez moi ou à proximité et les visiteurs qui viennent profiter de mon eau. Une source d'eau visible du haut des airs peut aussi attirer les oiseaux migrateurs. Une volée de 15 à 20 oiseaux migrateurs peut avoir du mal à trouver de l'eau dans un environnement qui leur est étranger.

Il est particulièrement important de fournir de l'eau en été, lorsqu'il fait chaud et que les bassins fréquentés par les oiseaux peuvent être asséchés. Cela dit, il est utile d'offrir une source d'eau aux oiseaux pendant toute l'année. Même en hiver, un peu d'eau non gelée pourra éviter aux oiseaux un long trajet par une température inclémente.

Divers types de contenants peuvent être employés pour assurer une source d'eau au oiseaux. Peu importe le modèle choisi, il faut respecter certaines règles fondamentales. Tout d'abord, la source d'eau doit être placée à découvert, à un endroit où les oiseaux pourront surveiller l'arrivée d'éventuels ennemis. On évitera donc de la placer près de taillis où un chat pourrait s'embusquer. On pourra toutefois la situer à proximité d'arbres dans lesquels les oiseaux pourront observer les environs avant de s'abreuver et vers lesquels ils pourront s'enfuir en cas de besoin. Le contenant doit être peu profond, c'est-à-dire d'une profondeur variant entre 3 cm et 8 cm. Ainsi, les oiseaux pourront s'y baigner et s'y ébrouer. Un oiseau peut difficilement se percher sur le bord d'un contenant et se pencher suffisamment pour y boire. Les oiseaux préfèrent généralement que l'eau soit placée en plein soleil, mais cela risque de la rendre trop chaude en été. On devra donc la placer un peu à l'ombre ou la rafraîchir d'une manière ou d'une autre.

Fontaines sur pied

Une fontaine sur pied constitue une source d'eau idéale, à laquelle les oiseaux pourront s'abreuver sans craindre leurs ennemis. Étant surélevée, une telle fontaine permet aux oiseaux de surveiller les environs et de s'envoler plus facilement. Il en existe une grande variété, de différents styles et de différents matériaux.

Le modèle de fontaine sur pied le plus courant est fabriqué en béton moulé. On trouve ces fontaines dans les centres de jardinage et d'aménagement paysager. Leur prix est généralement justifié par les avantages qu'elles offrent comparativement aux modèles semblables fabriqués en plastique. Les fontaines en béton sont très durables et ne se briseront que si on les échappe. Elles sont en outre plus lourdes et, conséquemment, plus stables. On peut les nettoyer facilement avec une brosse et un boyau d'arrosage. Généralement, la profondeur de ces fontaines convient parfaitement aux oiseaux. En cherchant bien, vous pourrez trouver un modèle qui fera le bonheur de vos invités tout en rehaussant l'apparence de votre jardin.

On trouve aujourd'hui des fontaines sur pied en céramique. Les styles de ces fontaines sont encore plus variés que ceux des fontaines en béton. Elles offrent les mêmes avantages que les fontaines en béton, mais elles sont toutefois plus coûteuses (quoique généralement plus jolies) et plus fragiles.

On a récemment mis sur le marché des fontaines sur pied en plastique résistant. On trouve dans cette catégorie le meilleur et le pire. En général, les fontaines en plastique sont peu coûteuses et on peut en enlever le bassin pour le nettoyer. C'est une caractéristique intéressante en autant qu'on peut le remettre en place solidement. La plupart des fontaines en plastique sont très légères ; cela en facilite le transport et l'installation, mais elles sont également plus faciles à renverser. On devra alors lester la base ou l'enfouir dans le sol. L'ennui des plastiques à bon marché, c'est qu'ils se fendillent sous l'effet des écarts de température. Les fontaines sur pied en plastique sont vendues dans une grande gamme de coloris. Cependant, après une longue exposition au soleil, les couleurs ont tendance à pâlir. Je ne veux pas dire ici que toutes les fontaines en plastique constituent un mauvais achat. Je veux simplement vous prévenir du fait qu'il faut les choisir avec soin.

Peu importe le matériau dont elle est faite, la fontaine sur pied devra avoir la profondeur requise et il faudra l'installer à un endroit à découvert, mais à proximité des arbres. Plusieurs magazines de bricolage présentent à l'occasion des plans pour fabriquer soi-même une fontaine sur pied avec du métal en feuille ou du béton. C'est peut-être la meilleure solution pour les habiles bricoleurs.

Bassins

Un bassin décoratif peut grandement rehausser l'aspect d'un jardin tout en apportant une source d'eau aux oiseaux. Les bassins peuvent être construits à la forme et aux dimensions voulues avec du béton armé. J'ai même vu dans les centres de jardinage des bassins en plastique rigide imitant la pierre, qui étaient munis d'une pompe et d'un système de drainage. Si vous disposez de l'espace voulu pour une telle installation permanente et si vous acceptez l'entretien qu'elle nécessite, il s'agit peut-être du meilleur choix pour vous.

Si le bassin est destiné à donner une source d'eau aux oiseaux, il doit cependant respecter les règles énoncées plus haut. Ménagez-y une pente afin qu'il soit peu profond, au moins sur un côté. Assurez-vous également que vous pourrez le nettoyer. J'ai souvent vu de magnifiques bassins pleins d'herbes ou de feuilles mortes parce qu'ils étaient trop difficiles à nettoyer. Après tout, il peut devenir très laborieux de vider, nettoyer et remplir un bassin de 400 l ou 800 l, non muni d'un système de drainage.

Même si un bassin peut constituer un centre d'attrait majeur dans un jardin, il faut bien réfléchir avant de l'aménager. C'est une installation pratiquement permanente qui requiert assez d'espace. De plus, ce n'est pas l'idéal pour donner de l'eau aux oiseaux. En effet, la plupart des bassins sont trop profonds et ils sont situés au niveau du sol, là où les oiseaux sont beaucoup plus vulnérables.

Autres sources d'eau

Si la fontaine sur pied ou le bassin décoratif ne vous conviennent pas, il existe d'autres méthodes pour assurer une source d'eau aux oiseaux. En cette matière, on n'est limité que par son imagination. J'ai déjà utilisé un couvercle de poubelle en métal galvanisé dans lequel je mettais de l'eau et des briques comme perchoirs. N'importe quel contenant peut être utilisé. Un couvercle de poubelle a juste la bonne profondeur et on peut le rendre stable en le plaçant dans une légère dépression du terrain. Les auges à peinture qu'on utilise avec les rouleaux sont aussi très appropriées, car il s'y trouve une pente idéale. La plupart de ces contenants doivent être utilisés au niveau du sol, mais on peut aussi imaginer des moyens pour les surélever. J'ai déjà vu un moule à gâteau fixé au tronc d'un arbre avec une équerre métallique. Il y a des douzaines de manières d'assurer aux oiseaux une source d'eau convenable.

Rafraîchir l'eau en été

La source d'eau devant être peu profonde et exposée au soleil, il est fatal que l'eau deviendra très chaude en été. J'ai observé que l'eau de ma fontaine était parfois trop chaude dès 9 h 30. La solution évidente consiste à remplacer l'eau souvent lorsqu'il fait chaud, mais c'est une tâche que nous n'avons pas tous le temps d'accomplir. Avec les années, j'ai découvert deux solutions beaucoup plus pratiques : un boyau qui coule ou un seau qui s'égoutte.

Si votre fontaine n'est pas trop éloignée d'un robinet extérieur, vous pouvez y amener un boyau d'arrosage qui y apportera un mince filet d'eau pendant toute la journée. N'allez pas imaginer un affreux boyau d'arrosage accroché à votre jolie fontaine : il est possible de le faire discrètement. Faites passer le boyau à un endroit permettant de le laisser en place pour tondre la pelouse. Vissez ensuite un raccord en « Y » au robinet extérieur et raccordez-y une longueur de boyau suffisante pour rejoindre la fontaine. Au pied de la fontaine, vissez un raccord de réduction au bout du boyau afin de réduire son diamètre à 6 mm ou à 9 mm. Raccordez un tube du diamètre requis à cet adaptateur et fixez-le au rebord de la fontaine avec du mastic adhésif élastique pour baignoires. Maintenez le tube en place avec de gros élastiques pendant que le produit sèche, c'est-à-dire environ 24 heures. Lorsque c'est sec, ouvrez le robinet pour qu'un mince filet d'eau vienne continuellement rafraîchir l'eau de la fontaine.

Ma technique préférée consiste cependant à utiliser un seau d'eau qui s'égoutte (voir la figure 4-2). Il suffit de percer quelques trous au fond d'un seau de 8 l à 20 l et de le suspendre au-dessus de la fontaine ou de tout autre contenant. En remplissant le seau d'eau, il s'égouttera de manière à remplacer et à rafraîchir l'eau de la fontaine. Si les trous sont assez petits, le seau se videra lentement et il ne sera nécessaire de le remplir qu'une fois tous les deux jours. C'est une méthode simple et peu coûteuse et les oiseaux adorent pouvoir y prendre une douche.

Empêcher le gel

S'il faut empêcher l'eau de la fontaine de devenir trop chaude en été, il faut aussi l'empêcher de geler en hiver. C'est d'autant plus important qu'en cette saison le gel prive les oiseaux de nombreuses autres sources d'eau.

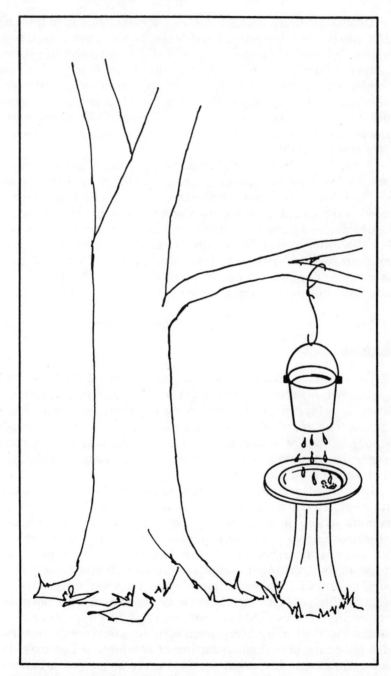

Fig. 4-2 Un seau qui s'égoutte permet de garder l'eau fraîche en été

Depuis quelques années, on voit apparaître sur le marché différents produits qui permettent de résoudre ce problème. Il peut s'agir de pièces en plastique munies d'éléments chauffants ou d'autres appareils conçus pour empêcher l'eau de geler dans les abreuvoirs des fermes. Dans l'ensemble, ces produits sont efficaces et bien construits. Les appareils conçus pour la ferme sont généralement encombrants, mais ils sont très fiables. Ceux qu'on trouve dans les animaleries sont moins coûteux, mais ils risquent aussi d'être moins durables.

À défaut de trouver un appareil qui vous convienne, vous pouvez utiliser un chauffe-eau pour aquarium. Je recommande un modèle de 75 watts, que vous placerez dans une fontaine dont la profondeur d'eau aura été augmentée à environ 15 cm. En effet, la plupart de ces appareils doivent être complètement submergés. Pour alimenter le chauffe-eau, utilisez un fil de rallonge résistant aux intempéries. Vérifiez régulièrement le niveau d'eau pour vous assurer que l'appareil reste toujours submergé. Ainsi, l'eau de votre fontaine ne gèlera pas, même par les nuits les plus froides.

Refuges

Comme nous l'avons vu plus tôt, un refuge est différent d'un abri. Alors que l'abri vise à protéger les oiseaux contre les intempéries, le refuge a pour fonction de les protéger contre leurs ennemis. Les arbres que les oiseaux fréquentent pour se reposer ou pour se mettre à couvert constituent des refuges. Les bons refuges seront souvent utilisés par les oiseaux comme sites pour la construction d'un nid.

Les refuges les plus courants sont les arbres et arbustes qui entourent le terrain. Les oiseaux les utiliseront pour observer les environs avant de s'approcher. Ces refuges leur seront aussi utiles lorsqu'ils voudront s'enfuir et se mettre à couvert à l'arrivée d'un ennemi. Il arrive que les oiseaux soient si habitués à un refuge qu'ils deviennent complètement désorientés lorsqu'on le coupe ou le taille. Par exemple, j'ai pu observer un groupe de mésanges huppées qui s'arrêtaient toujours dans un petit pacanier pour vérifier si mes chats étaient là avant de s'approcher de la mangeoire. Tout allait bien jusqu'à ce qu'une violente tempête brise plusieurs branches de l'arbre et me force à l'abattre. Le lendemain matin, les mésanges sont arrivées comme à l'accoutumée. Ne trouvant plus leur arbre, elles ont voleté en cercle avant de s'enfuir à tire-d'aile. Il leur a fallu plusieurs jours avant d'adopter un nouvel arbre comme refuge.

Si vous avez de nombreux arbres et arbustes adultes, votre terrain offre sans doute suffisamment de refuges aux oiseaux. Il vous suffira d'installer des maisonnettes et des mangeoires pour que les oiseaux en profitent au maximum. Cependant, si votre aménagement paysager est récent et si votre terrain est relativement nu, vous devrez planter des espèces qui offriront le maximum de protection aux oiseaux que vous voulez attirer. Vous trouverez au chapitre 5 une liste d'arbres et d'arbustes qui constituent d'excellents refuges tout en offrant aux oiseaux de la nourriture et des abris pour l'hiver.

Si l'espace le permet, un tas de branchages constituera un attrait pour de nombreuses espèces d'oiseaux. Plusieurs oiseaux, comme les tohis et les moqueurs, sont habitués à picorer le sol à travers les branches mortes de la forêt ; ils adoreront se cacher à l'intérieur d'un tas de branchages. Le tas peut être constitué de quelques grosses branches sur lesquelles vous disposerez des branches plus petites. Le refuge doit être très dense, mais comporter plusieurs ouvertures par lesquelles les oiseaux pourront y accéder et en sortir. Dans un jardin à l'anglaise ou un aménagement paysager naturel, un tas de branches mortes ne jurera pas et contribuera à attirer plusieurs oiseaux, surtout les espèces qui aiment le bois.

La proximité des refuges est capitale lorsqu'on choisit l'endroit où l'on installera une mangeoire, une fontaine ou une maisonnette. C'est d'autant plus important si vous désirez attirer des espèces d'oiseaux particulièrement craintives.

Bains de poussière

Vous avez sans doute déjà vu des moineaux prendre des bains de poussière en bordure des routes. Ils s'ébrouent dans la poussière exactement comme dans l'eau. Plusieurs espèces d'oiseaux aiment prendre des bains de poussière et vous aurez un spectacle intéressant si vous leur en donnez l'opportunité.

Les experts ne s'entendent pas sur les raisons qui poussent les oiseaux à prendre des bains de poussière. Certains prétendent que c'est un moyen pour se débarrasser des parasites et que cela constitue un nettoyage à sec des plumes. D'autres affirment que les oiseaux s'y adonnent uniquement par plaisir. Étant donné que la plupart des oiseaux sont infestés de parasites, je me rallie à l'avis des premiers; mais à voir le plaisir que les oiseaux y prennent, je partage aussi l'opinion des seconds.

Si votre région regorge de terrains sablonneux ou poussiéreux, les oiseaux des environs ne manqueront pas de choix pour prendre des bains de poussière. Si vous vivez dans une banlieue où presque tous les terrains sont aménagés, un bain de poussière sera sans doute le bienvenu. La façon la plus simple d'en aménager un consiste à fabriquer un plateau en bois d'environ 36″ par 48″ et de 4″ à 6″ de profondeur. Plus le plateau sera profond, moins vous aurez à le remplir souvent. Le sable pour béton qu'on trouve dans les quincailleries est très propre et relativement peu coûteux. Un sac de 12 kg pourra durer très longtemps. Vous pouvez aussi remplir votre plateau de sable fin naturel ou de poussière.

Si vous croyez que les oiseaux qui fréquentent votre bain de poussière sont infestés de parasites, il est bon de savoir qu'il existe des produits pouvant leur venir en aide. Il s'agit de poudres relativement peu coûteuses que l'on trouve dans les centres de jardinage et chez les fournisseurs agricoles. Il suffit de mélanger la poudre au sable ou à la poussière dans une proportion de 10%. Étant donné qu'on met continuellement de nouveaux produits sur le marché, il serait sage de demander conseil à votre vétérinaire ou à un expert en jardinage.

Matériaux pour la construction d'un nid

Que ce soit pour construire un nouveau nid ou pour rénover l'ancien, les oiseaux qui construisent des nids ont besoin de matériaux à chaque année. Très souvent, dans nos banlieues très propres aménagées avec des matériaux synthétiques, ils ont du mal à trouver les matières dont ils ont besoin. Autrefois, les oiseaux trouvaient facilement des morceaux de paille ou de foin, du crin de cheval, des plumes et des bouts de corde. De nos jours, ces matériaux sont très rares et les oiseaux doivent souvent parcourir de longues distances pour trouver ce qu'il leur faut. Même le tissu des vieux chiffons a changé. Il ne s'agit plus de coton, mais de tissus synthétiques que les oiseaux ne peuvent défaire et former à volonté.

Il est très facile de fournir aux oiseaux des matériaux pour la construction d'un nid. Quoi de plus simple que de placer ces restes de matériaux sur le sol, dans les branches des arbres, dans une mangeoire ou sur une étagère spéciale. Vous pourrez y mettre des bouts de fil, des soies de pinceau (qui remplacent le crin de cheval d'autrefois), du papier déchiqueté, de la mousse, des plumes, les charpies qui s'accumulent dans la sécheuse, des morceaux de tissu naturel, de la paille et des bouts de ficelle. Vous pourrez ainsi observer les oiseaux faire la navette entre votre « entrepôt » de matériaux et leur nid. Cela sera particulièrement apprécié si de nombreuses familles d'oiseaux construisent leurs nids dans les environs.

Plusieurs détails permettent d'attirer un plus grand nombre d'oiseaux. Avant d'aborder la fabrication de mangeoires et de maisonnettes, voyons ensemble comment on peut aménager son terrain pour le rendre attrayant aux visiteurs à plumes.

CHAPITRE 5

L'aménagement paysager

À l'état naturel, il existe une grande variété de plantes qui attirent les oiseaux. La plupart d'entre elles peuvent s'adapter à l'aménagement paysager d'un terrain. En plus de servir d'abris ou de refuges, ces plantes fournissent aux oiseaux de la nourriture sous forme de graines, de baies ou de fruits. En plantant dans votre jardin les espèces que les oiseaux préfèrent à l'état naturel, vous connaîtrez beaucoup de succès.

Des plantes attrayantes pourront amener chez vous des oiseaux qui n'y seraient jamais venus autrement. Par exemple, une imposante haie de cèdres sera sûrement remarquée et visitée par des jaseurs des cèdres. Les arbustes qui donnent des baies attireront plusieurs espèces d'oiseaux dans votre jardin pendant tout l'été. Quant aux fleurs de couleurs vives et en forme d'entonnoirs, elles feront la joie des colibris. Il est bon de savoir quelles sont les espèces d'oiseaux de votre région avant de choisir les arbres, les fleurs ou les arbustes que vous planterez à leur intention.

Planification

Il faut un minimum de planification pour tirer le maximum de ce type d'aménagement paysager. Vous voudrez choisir des plantes qui attireront les oiseaux de votre région, qui pousseront bien dans votre sol et qui auront belle apparence.

Réfléchissez d'abord aux diverses espèces de plantes qui peuvent convenir. Dressez-en une liste complète par écrit. Je vous recommande d'y inscrire les plantes que vous connaissez bien. Demandez-vous si chaque plante aura pour effet d'attirer les oiseaux. Vous trouverez quelques suggestions à cet effet dans les paragraphes qui suivent, mais vous pouvez aussi demander conseil à votre pépiniériste. Dans les centres de jardinage, les vendeurs seront souvent étonnés d'apprendre que vous voulez attirer les oiseaux. En général, les gens cherchent à les éloigner.

Si l'un de vos voisins connaît bien les oiseaux ou le jardinage, il pourra vous donner de précieux conseils. Je l'ai réalisé l'an dernier, alors que je me demandais quelle espèce d'arbres je devrais planter pour occuper un espace libre sur mon terrain. Connaissant mon intérêt pour les oiseaux, le concierge de l'école où j'enseigne m'a suggéré de planter ce qu'on appelle régionalement un « arbre à maïs ». Je n'aimais pas beaucoup cette espèce d'arbre et je le lui ai dit. Il a alors pointé un arbre de ce type qui se trouvait sur le terrain de l'école et m'a conseillé d'observer pendant un an les oiseaux qui le fréquentaient. Ce que j'ai vu m'a convaincue qu'il s'agissait du meilleur choix pour les oiseaux de ma région. Au printemps, de nombreuses espèces d'oiseaux venaient se nourrir de ses tendres bourgeons. En été, ses nombreuses branches étalées constituaient des perchoirs de choix. À l'automne, le mûrissement de ses baies attirait encore plus d'oiseaux. Enfin, en janvier, l'arbre portait encore plusieurs cosses de graines et l'on pouvait voir des pinsons, des cardinaux, des fauvettes, des tohis, des roselins et même des pics faire des prouesses pour les atteindre. Je n'aurais jamais cru que cet arbre était si populaire auprès des oiseaux ; c'est justement le genre d'information qu'on peut obtenir auprès des résidents de longue date.

Même si vous voulez attirer les oiseaux, vous ne voudrez pas pour autant négliger l'apparence de votre jardin. Après avoir fait la liste des plantes qui peuvent attirer les oiseaux, dressez la liste des espèces qui pourraient améliorer l'aspect de votre terrain. Tenez compte des règles fondamentales de l'aménagement paysager : l'équilibre des couleurs, le mariage des textures et des volumes, les variations saisonnières, etc. En circulant dans votre jardin, vous pourrez mieux apprécier l'effet que pourra produire un arbre ou un arbuste à partir de différents points de vue.

Votre planification doit tenir compte du futur. On est toujours impatient de voir les arbres grandir, mais un manque de planification dans le choix d'un emplacement peut causer de sérieux problèmes. Le petit érable planté près de la maison devra être abattu si vous voulez construire un porche. Les petits arbustes plantés près d'une porte ont la fâcheuse habitude d'encombrer très rapidement le passage. Essayez d'imaginer l'aspect qu'aura votre jardin dans 5 ou 10 ans et révisez votre plan en conséquence.

À cette étape, en plus d'avoir une liste de plantes, vous aurez aussi une bonne idée des emplacements où vous comptez les planter. Si ce n'est déjà fait, dessinez le plan de votre terrain. Indiquez-y les clôtures, les allées et les bâtiments, ainsi que les plantes existantes que vous voulez conserver. Faites le plan à l'échelle afin de pouvoir comparer les dimensions des divers éléments. J'utilise des crayons de couleurs différentes pour indiquer les zones ombragées, car c'est un facteur déterminant dans le choix de l'emplacement d'une plante. J'indique aussi sur le plan l'emplacement des mangeoires, des maisonnettes, des fontaines et de l'espace au sol utilisé pour nourrir les oiseaux. De façon générale, prenez soin d'indiquer tous les détails pertinents. Utilisez ensuite ce plan pour implanter les différentes espèces choisies. Dessinez les nouvelles plantes, jugez de l'effet obtenu, puis effacez pour essayer un aménagement différent. Cela vous permettra de juger de l'équilibre des couleurs entre les diverses espèces de fleurs. Vous chercherez également à placer les conifères denses à un endroit où ils pourront protéger les oiseaux contre le vent. Les plantes moins denses pourront être situées près des mangeoires afin de servir de postes d'observation pour les oiseaux. Les fleurs qui attirent les colibris seront plantées à proximité des fenêtres afin d'en faciliter l'observation. Cela vaut vraiment la peine de consacrer plusieurs heures à une bonne planification de l'aménagement.

Pour offrir aux oiseaux un environnement idéal, il faudra aussi tenir compte de la production saisonnière des baies, des fruits et des graines. En cherchant bien, vous pourrez découvrir l'aménagement qui offrira le maximum aux oiseaux en toute saison. Vos diverses plantes donneront des fruits du début de l'été jusqu'à la fin de l'automne. Vous apprendrez aussi à connaître les plantes qui portent des baies ou des graines jusque tard en hiver. Votre aménagement paysager sera pensé afin d'offrir aux oiseaux des abris et des refuges en toute saison.

À première vue, cela peut paraître très compliqué, mais c'est beaucoup plus simple qu'on ne le croit. Par exemple, dans mon jardin, j'ai quelques ronciers qui donnent des mûres au début de l'été. Lorsque ces arbustes ont donné leurs fruits et que les oiseaux les ont presque tous mangés, ce sont les mûriers qui prennent la relève. En choisissant des fleurs, des arbres et des arbustes qui donnent des graines ou des fruits à des périodes différentes, les oiseaux trouveront toujours quelque chose à manger chez vous. Même en janvier, ils pourront découvrir quelques baies de cèdres, des cenelles ou des cosses de graines.

La préparation d'un plan d'aménagement vous sera très utile. Lorsque vient le moment de choisir parmi la grande variété de plantes disponibles, n'oubliez pas qu'il existe de nombreuses sources de bons conseils. N'hésitez pas à consulter votre pépiniériste ou un ornithologue amateur de votre région. Les paragraphes qui suivent décrivent quelques bonnes plantes à considérer. Vous tiendrez également compte des espèces d'oiseaux que vous voulez attirer, ainsi que de leurs préférences alimentaires (voir à la fin du chapitre 4). C'est ce que je fais chaque année lorsque je plante des tournesols à l'intention des roselins et des cardinaux.

Fleurs

Deux grandes catégories de fleurs peuvent être plantées pour attirer les oiseaux ; celles qui leur apportent de la nourriture et celles qui leur garantissent un refuge. Si vous prévoyez en planter, vous devriez les intégrer à votre plan général d'aménagement. De telles fleurs peuvent avantageusement garnir des espaces dénudés de votre jardin. Certains jardiniers n'aiment pas laisser leurs fleurs monter en graines ; d'autres n'aiment pas l'aspect du jardin lorsque des oiseaux sont venus picorer les fleurs. On peut quand même attirer les oiseaux avec des plate-bandes de fleurs ou des couvre-sols décoratifs.

Bien que cette liste soit partielle, les fleurs communes qui produisent des graines appréciées par les oiseaux sauvages sont les pétunias, les phlox, les mirabilis, les ancolies, les chrysanthèmes, les calendulas, les asters, les cosmos, les œillets d'Inde, les zinnias et la verveine. Je n'ai pas inclus les tournesols à cette liste parce qu'ils sont dans une classe à part. Les tournesols constituent une source de nourriture privilégiée par de nombreuses espèces d'oiseaux. Si l'espace le permet, un massif de ces fleurs géantes créera un effet spectaculaire dans votre jardin. Lorsque les immenses fleurs produiront des graines, vous pourrez les récolter ou les laisser en place pour que les oiseaux les picorent.

Toutes les fleurs plantées en rangs serrés peuvent servir de couvre-sol, mais elles seront d'autant plus efficaces qu'elles sont hautes. Les fleurs basses ne permettent pas toujours aux oiseaux de bien se cacher. Pour eux, les grandes fleurs sur lesquelles ils peuvent se percher sont les meilleures. Parmi elles, on compte les amaranthes, les campanules, les chrysanthèmes, les ancolies, les œillets, les cosmos et les portulacas. À vous de choisir celles qui vous plaisent le plus. Certaines autres plantes, comme les asters, les rudbeckies, les chicorées et les hautes herbes, donneront à votre jardin un aspect plus sauvage. Ces plantes sont idéales pour garnir un espace dénudé tout en offrant un refuge aux oiseaux.

Arbustes et plantes grimpantes

Les arbustes et les plantes grimpantes peuvent apporter aux oiseaux de la nourriture et des refuges, tout en répondant spécifiquement aux besoins des espèces qui préfèrent nicher près du sol. Les cardinaux, par exemple, aiment bien nicher dans une haie ou un buisson de bonne hauteur. Des buissons bien situés serviront de refuges aux oiseaux effrayés par l'arrivée d'un ennemi.

Les oiseaux aiment tant d'espèces d'arbustes et de plantes grimpantes qu'il faudrait faire exprès pour ne pas en prévoir dans son plan d'aménagement. La plupart de ces plantes portent de très jolies fleurs qui agrémenteront votre jardin. Les oiseaux raffoleront aussi de leurs baies et de leurs graines. En connaissant la période de fructification de chaque espèce, vous pourrez planifier votre aménagement pour que les oiseaux y trouvent de quoi manger pendant plusieurs mois.

Parmi les arbustes et les plantes grimpantes les plus recherchés, on compte les sureaux, les bleuets, les nerpruns, les mûriers, les ronciers, les sorbiers, les lauriers, les viornes, les framboisiers sauvages, les houx, les aubépines, les chèvrefeuilles, les morelles, les vignes sauvages, les lierres et les smilax. Il existe des douzaines d'autres bons candidats, parmi lesquels vous choisirez ceux qui s'adapteront le mieux à votre sol et à votre climat. Comme je l'ai mentionné plus tôt, un livre comme celui-ci ne saurait remplacer les précieux conseils d'un jardinier expérimenté.

Arbres

Il faut choisir les arbres en fonction de leur apparence et de l'attrait qu'ils exercent sur les oiseaux. En analysant les régimes alimentaires des oiseaux et les caractéristiques de chaque type d'arbres, vous n'aurez aucun mal à réunir ces deux qualités.

Comme la plupart des oiseaux sauvages trouvent leur nourriture dans les arbres, s'y réfugient et y construisent leurs nids, la liste des espèces appropriées est très longue. Encore une fois, je n'en ai fait qu'une énumération très partielle. Il importe donc de faire des recherches pour découvrir quels arbres seront les plus appréciés par les oiseaux de votre région.

La liste qui suit comprend des arbres qui offrent aux oiseaux de la nourriture et de bons abris. Les hêtres, les aulnes et les frênes produisent des graines dont les oiseaux raffolent. Les cerisiers sauvages, les pommetiers décoratifs et les cèdres portent des fruits très appréciés. Dans les régions où ils peuvent croître, les cornouillers constituent aussi d'excellents candidats. Les ormes et les érables sont des lieux de prédilection pour la construction de nids en plus de donner des graines. Les épinettes, les pins et les sapins sont également des sources de nourriture en plus de constituer d'excellents abris pour l'hiver. Les cerisiers sauvages, les aubépines et les mûriers portent leurs fruits à des périodes différentes de l'année, ce qui assure un approvisionnement constant aux oiseaux. Plusieurs espèces d'oiseaux se régalent des glands produits par les chênes et y trouvent aussi refuge. Et il ne s'agit là que d'une brève énumération des arbres que vous pouvez choisir.

Plantes préférées des colibris

De nombreux ornithologues cherchent surtout à attirer les colibris. On ne se lasse pas d'observer ces minuscules oiseaux très agiles. Le colibri à gorge rubis a une très grande aire de dispersion au Canada et on peut facilement l'attirer dans un environnement approprié.

Les chercheurs scientifiques ont mis des années à découvrir ce que tous les amateurs de colibris savent déjà. Ainsi, ils ont observé que les colibris sont attirés par toutes les fleurs de couleurs vives, mais plus particulièrement par les fleurs rouges ou orangées ayant la forme d'un entonnoir. Ils ont aussi découvert que, même si les colibris sont de grands voyageurs, ils passeront la saison au même endroit s'ils y trouvent des fleurs en abondance. Ils y retourneront même année après année. Sachant cela, il peut être intéressant de planter dans votre jardin quelques fleurs susceptibles d'attirer les colibris. Après tout, les colibris sont peut-être les oiseaux les plus captivants et les fleurs qu'ils préfèrent comptent parmi les plus jolies.

On trouve sur le marché différents types de mangeoires pour colibris. Certaines sont très efficaces, mais d'autres ont le même effet qu'un épouvantail. La plupart consistent en un tube en verre ou en plastique que l'on remplit d'un nectar acheté tout fait ou préparé à la maison. Très souvent, le tube est fixé au milieu d'une corolle en plastique rouge ou orangé pour lui donner l'aspect d'une fleur. Certaines de ces mangeoires peuvent être suspendues, mais la plupart doivent être fixées à un arbre ou à un bâton planté dans le sol.

Si vous utilisez ce type de mangeoire, vous devrez l'installer à un endroit où elle ne sera pas envahie par les fourmis. Ces insectes étant ce qu'ils sont, cela peut se révéler très difficile. Les écureuils, qui raffolent du sucre, peuvent également vous causer des ennuis. Une de mes amies n'arrive pas à se défaire d'un écureuil qui réussit toujours à atteindre sa mangeoire, peu importe où elle la place. On peut souvent le voir faire basculer la mangeoire pour boire le nectar comme à une bouteille.

Les chats peuvent aussi devenir une source de problèmes. Ils considèrent souvent comme un défi ces petits oiseaux qui semblent être suspendus immobiles dans les airs. Le danger est encore plus grand lorsque les colibris doivent se nourrir trop près du sol. Les fleurs basses, comme les azalées ou les glaïeuls, contraignent souvent les colibris à voler trop près du sol, où ils deviennent des proies faciles. Le problème ne se pose généralement pas lorsque ces oiseaux sont attirés par des fleurs hautes ou des plantes grimpantes. Néanmoins, s'il y a des chats dans les environs, surveillez-les de près.

Parmi les plantes les plus courantes qui attirent les colibris, on compte les ancolies, les azalées, les chèvrefeuilles, les lis tigrés, les glaïeuls, les roses trémières, les symphorines, les mimosas, les bignonias, les bougainvillées, les poincianas, les fuchsias et les jasmins. Votre pépiniériste pourra vous conseiller aussi d'autres variétés. Le plaisir d'observer des colibris en vaut vraiment la peine.

Maintenant que nous avons vu comment aménager le terrain, passons maintenant aux projets de construction. Les trois prochains chapitres seront consacrés à ce sujet.

jardinage et même dans les pages des catalogues. De plus, chaque ornithologue amateur a son propre concept de mangeoire fabriquée à la maison. Comment s'y retrouver?

Acheter ou fabriquer

La première décision à prendre consiste à choisir entre les mangeoires offertes en magasin et celles qu'on peut fabriquer soi-même. Chacune a ses avantages. Les mangeoires toutes faites ont bien sûr l'avantage de n'exiger que très peu de travail. Il suffit de choisir celle qui nous convient à travers une très grande variété de modèles, de couleurs et de styles. Il est presque impossible de ne pas trouver ce qu'on cherche. On trouve même dans les boutiques spécialisées, des mangeoires luxueuses spécifiquement conçues pour certains types d'aliments. De plus, la plupart des mangeoires toutes faites sont fabriquées avec des matériaux qui n'exigent pratiquement pas d'entretien.

Les inconvénients des mangeoires toutes faites se font sentir lorsqu'on veut nourrir un grand nombre d'oiseaux. Malheureusement, la plupart des mangeoires qu'on trouve sur le marché sont conçues pour plaire aux gens plus qu'aux oiseaux. Elles sont la plupart du temps très jolies et décoratives. Leurs perchoirs sont très souvent trop petits pour la plupart des grands oiseaux. Elles ont aussi tendance à plier ou à bouger lorsque les oiseaux s'y posent, ce qui les rend craintifs. Généralement, il faut démonter ces mangeoires ou en enlever le toit pour les remplir, ce qui n'est pas très pratique lorsqu'on doit le faire chaque jour. De plus, les mangeoires toutes faites contiennent à peine assez de graines pour subvenir aux besoins quotidiens d'un bon nombre d'oiseaux.

Vous ne serez donc pas étonné d'apprendre que je recommande les mangeoires fabriquées à la maison. Cela dit, il existe d'excellentes mangeoires sur le marché. Depuis quelques années, on trouve de très bonnes mangeoires — surtout en plastique et en caoutchouc. Pour certains amateurs, même les mangeoires de deuxième ordre pourront très bien convenir. Je connais une ornithologue amateur qui utilise deux petites mangeoires qui présentent tous les inconvénients mentionnés plus haut et elle ne voudrait pas en changer. C'est avant tout un choix personnel. Si vous n'êtes pas bricoleur ou si vous n'avez que peu de loisirs, choisissez une mangeoire toute faite en comparant bien les avantages et les inconvénients de chaque modèle. On peut obtenir de très bons résultats en utilisant une mangeoire toute faite pour les oiseaux plus petits et une mangeoire à plateau pour les espèces plus grandes.

Dimensions de la mangeoire

Les dimensions de la mangeoire sont beaucoup plus importantes que le fait que vous l'ayez fabriquée ou achetée toute faite. En plus de devoir être remplie beaucoup plus souvent, une mangeoire trop petite posera des problèmes aux grands oiseaux. En outre, les petites mangeoires ne peuvent pas accueillir autant de convives, ce qui risque d'entraîner des querelles et le départ de certains oiseaux. Les espèces d'oiseaux les plus craintifs ne s'approcheront pas d'une mangeoire envahie par d'autres. Les mésanges, par exemple, sont si timides qu'elles attendront sur une branche que la mangeoire soit libre avant de s'y présenter. Lorsqu'une mangeoire est trop petite, on peut souvent voir quelques oiseaux agressifs en prendre le contrôle. Il est donc important de choisir une mangeoire de bonnes dimensions, à laquelle plusieurs oiseaux pourront facilement avoir accès.

Modèle de la mangeoire

Le choix d'un modèle dépendra surtout de son efficacité pour les oiseaux du voisinage. Les aspects pratiques d'une mangeoire sont beaucoup plus importants que ses qualités esthétiques. La mangeoire devrait notamment offrir beaucoup d'espace pour que les oiseaux puissent s'y poser. Méfiez-vous de celles dont les perchoirs sont placés à quelques centimètres de la nourriture ; les oiseaux plus grands ne peuvent pas se percher aussi près de leurs aliments. Si vous choisissez une mangeoire à trémie, soyez prudent. Très souvent, la pluie ou l'humidité ont pour effet de bloquer régulièrement la trémie. Cela peut devenir très frustrant, aussi bien pour vous que pour les oiseaux. Assurez-vous que les ouvertures de la trémie sont assez grandes ou mettez-la à l'abri des intempéries.

Nos hivers sont assez rigoureux pour qu'il soit utile de choisir une mangeoire couverte. Même en été, un toit peut se révéler pratique pour protéger les aliments contre la pluie. Le seul ennui, c'est que le toit peut être encombrant, tout autant pour les oiseaux que pour ceux qui les observent. En effet, un toit risque d'empêcher de bien voir les oiseaux qui fréquentent la mangeoire. De plus, il peut nuire à l'approche des oiseaux qui veulent se poser sur la mangeoire. Certains modèles, munis d'une seule ouverture, permettent également à un oiseau agressif de prendre le contrôle de la mangeoire. À mon avis, le meilleur compromis consiste à choisir une mangeoire ayant un toit assez élevé supporté par quatre poteaux corniers. La nourriture sera à l'abri de la neige et de la pluie, les oiseaux pourront y entrer et en sortir facilement et vous pourrez les observer à loisir. Il vous suffira d'installer à proximité un abri couvert à trois côtés fermés.

Il y a tant de modèles différents de mangeoires qu'il est impossible d'en faire une recension complète. Après en avoir considéré les dimensions et arrêté son choix sur un modèle couvert ou non, l'acheteur devrait s'attarder au mode de remplissage. Rien n'est moins agréable que d'essayer d'ouvrir une mangeoire récalcitrante par un froid matin d'hiver. C'est le genre d'ennui qui risque de décourager le plus passionné des débutants. En prenant de l'âge, les matériaux de la mangeoire peuvent gauchir et ses pièces mobiles risquent d'être bloquées par des graines. J'évite tout particulièrement les mangeoires qu'il faut remplir avec un entonnoir; chez nous, ces précieux ustensiles ont la fâcheuse habitude de disparaître. Recherchez une mangeoire munie d'une grande ouverture dans laquelle vous pourrez verser les graines facilement. Si vous avez un enfant, c'est une bonne idée de lui confier la responsabilité de garnir la mangeoire. Dans un tel cas, il est encore plus important de choisir un modèle qu'on peut remplir facilement.

Mangeoire fixe ou suspendue

Il s'agit encore une fois d'un choix personnel. Il existe une très grande variété de modèles que l'on peut fixer ou suspendre. Voici cependant quelques conseils pratiques.

Les mangeoires suspendues sont attrayantes pour la plupart des espèces, mais certains oiseaux sont effrayés par leur balancement. J'ai même pu observer des oiseaux qui refusaient carrément de se poser sur une mangeoire suspendue. Ce sont toutefois des cas d'exception et la plupart des oiseaux s'y adaptent très bien. On peut atténuer le balancement d'une telle mangeoire en y suspendant quelque chose de lourd, qui agira comme un contrepoids. Si vous fabriquez vous-même la mangeoire, vous pouvez aussi utiliser des matériaux plus lourds que nécessaire afin d'obtenir le même résultat.

Si les écureuils ou les chats vous posent des problèmes, la mangeoire suspendue peut constituer une solution. Il ne suffit pas de suspendre une mangeoire pour qu'elle soit à l'abri de ces gourmands, mais cela peut aider. Suspendez-la à au moins 3 m de toute branche, saillie du toit ou clôture de laquelle un chat ou un écureuil pourrait sauter. Je suspends mes mangeoires aux arbres à environ 3 m du sol et à bonne distance du tronc et des branches principales. J'élague l'arbre de façon à pouvoir observer la mangeoire et les branches avoisinantes. Pour en faciliter le remplissage et l'entretien, chaque mangeoire est suspendue à une corde qui passe dans une poulie et qui est attachée à un crochet fixé au tronc de l'arbre. Il suffit de détacher la corde pour abaisser la mangeoire et la remplir. Un nœud assez gros pour ne pas passer dans la poulie empêche la mangeoire de descendre à moins d'un mètre du sol. Ce type de mangeoire, dont les détails de construction sont donnés plus loin dans ce chapitre, est à la fois bien visible, facile d'entretien et inaccessible aux chats et aux écureuils.

Plusieurs personnes préfèrent une mangeoire fixée à un poteau. Montée sur un poteau métallique, la mangeoire sera à l'abri des chats et des écureuils et conviendra bien aux endroits où il n'est pas possible d'en suspendre une. Cependant, si la mangeoire est assez haute pour que les chats ne puissent y sauter, elle sera trop haute pour qu'on puisse la remplir facilement. Tenez compte de la personne qui s'en occupera et du nombre de fois qu'elle devra le faire. Si un enfant ne peut atteindre la mangeoire, il lui faudra un escabeau pour la remplir. Il vaut mieux y penser à l'avance.

Une première mangeoire

Après des années d'essais et d'erreurs, voici ce que je recommande comme première mangeoire : une simple mangeoire à plateau, sans fioritures, peu coûteuse, facile à installer et à entretenir — et surtout très efficace pour attirer les oiseaux. Ce type de mangeoire ne risque en outre pas de se bloquer, de s'abîmer ou de briser avec le temps.

La simple mangeoire à plateau n'a plus à faire ses preuves. Sa fabrication est à la portée du moins habile des bricoleurs. On peut la fixer à un poteau ou la suspendre. Aucun autre type de mangeoire ne peut être rempli ou nettoyé plus rapidement. Le fait que la mangeoire est ouverte facilite en outre sa découverte par les oiseaux, ce qui la rend utile pour attirer ces derniers jusqu'à votre terrain. Les oiseaux mettent parfois des semaines avant de découvrir une mangeoire d'un autre style. Une mangeoire à plateau de bonnes dimensions pourra accueillir de nombreux oiseaux en limitant les querelles. En y mettant une plus grande quantité de nourriture, il ne sera pas nécessaire de la remplir aussi souvent. La mangeoire à plateau permet aussi d'offrir différents aliments : des mélanges de graines, du lard ou des restes de table. Ce type de mangeoire convient à tous les oiseaux, même les plus craintifs. Étant plus grande que les autres, cette mangeoire peut accueillir en même temps de petits oiseaux et des oiseaux plus grands. Ces derniers ont souvent des problèmes avec les petits perchoirs des mangeoires préfabriquées. J'aime tellement la mangeoire à plateau que c'est le seul modèle que j'utilise pour servir des graines.

Pour ce qui est de l'installation, je recommande de suspendre la mangeoire de la façon décrite précédemment. C'est une méthode simple et sûre qui n'exige aucune installation permanente. Avec le temps, vous voudrez peut-être modifier l'emplacement de votre mangeoire. Si la mangeoire est fixée au bout d'un poteau solidement planté dans le sol, ce sera plus difficile.

Une mangeoire à plateau de bonnes dimensions donnera tout ce qu'on peut attendre d'une bonne première mangeoire. Même les amateurs plus expérimentés pourront profiter de la facilité d'entretien de ce type de mangeoire et de l'attrait qu'elle exerce sur les oiseaux. Vous trouverez plus loin des plans détaillés pour fabriquer ce type de mangeoire.

Nombre de mangeoires

Dès qu'un petit groupe d'oiseaux découvrira votre mangeoire et reviendra la visiter chaque jour, il amènera avec lui d'autres visiteurs. Des oiseaux de passage viendront voir ce qui se passe chez vous. Il semble que la nouvelle d'une mangeoire bien garnie se répande très vite et, très bientôt, votre terrain sera envahi par des oiseaux affamés. C'est alors que vous pourrez observer des oiseaux se querellant pour se faire une place à la mangeoire. Vous pourrez aussi voir des oiseaux déçus se présenter à la mangeoire quand il n'y reste plus rien.

La meilleure façon de résoudre ce problème consiste à installer plusieurs mangeoires. Une deuxième mangeoire ne représente pas un gros investissement et elle vous permettra de nourrir autant d'oiseaux — et même plus — sans querelles inutiles. Elle contribuera aussi à réduire le problème des oiseaux agressifs qui effraient les espèces plus craintives. Les mésanges ont particulièrement tendance à déserter les endroits où la concurrence est trop forte. Une deuxième mangeoire n'éliminera pas complètement le problème, mais elle fournira un second choix. Généralement, l'oiseau timide pourra se nourrir à l'une ou à l'autre.

Si vous le pouvez, installez deux mangeoires dans votre jardin. En choisissant des mangeoires de styles différents, vous pourrez répondre aux préférences de diverses espèces d'oiseaux. Par exemple, avec une mangeoire à plateau et une mangeoire à trémie, ce dernier modèle conviendra aux espèces plus petites. Les oiseaux plus grands iront se nourrir à la mangeoire à plateau, où ils auront plus de facilité à se poser. La mangeoire à plateau conviendra mieux au service d'autres aliments comme le lard, les fruits ou les restes de table. En apprenant à connaître les habitudes alimentaires de vos visiteurs, vous arriverez sans peine à réduire les querelles causées par la concurrence.

On peut aussi accommoder un plus grand nombre d'oiseaux en les nourrissant au sol. En répandant sur le sol des aliments moins coûteux destinés aux pigeons et aux moineaux, vous les empêcherez d'envahir les mangeoires.

Choix de l'emplacement

Avant d'installer une mangeoire, prenez le temps de bien observer votre terrain et de soupeser le pour et le contre de chaque emplacement. Vous découvrirez peut-être que l'emplacement idéal n'est pas du tout celui que vous aviez cru.

Du point de vue des oiseaux, une mangeoire bien située doit se trouver à proximité d'arbres, de lignes électriques ou de grands arbustes à partir desquels ils pourront observer l'environnement avant de s'approcher. Les oiseaux se sentiront plus en sécurité s'ils trouvent de tels refuges près de la mangeoire. Ils pourront y battre en retraite s'ils sont dérangés par un ennemi pendant leur repas. L'emplacement idéal devrait être exposé au soleil en hiver et partiellement ombragé en été. En hiver, vos visiteurs apprécieront aussi que la mangeoire soit protégée contre les vents du nord par un bâtiment, une haie ou un gros conifère.

N'oubliez pas de songer aux chats et aux écureuils lorsque vous choisissez un emplacement. La mangeoire doit se trouver à bonne distance de toute branche, clôture ou saillie du toit d'où un animal pourrait sauter. Un écureuil peut facilement sauter sur une longueur d'environ 9 m. Cela complique singulièrement le choix d'un emplacement.

Pour suspendre une mangeoire, vous choisirez sans doute une branche d'arbre. Une fois la branche choisie, vous devrez élaguer l'arbre afin d'enlever les branches qui nuisent au système de suspension à poulie. Pour éloigner les chats et les écureuils, vous devrez aussi couper les grosses branches qui sont trop rapprochées de la mangeoire. Suspendez la mangeoire à l'extrémité d'une branche, le plus loin possible du tronc et des branches principales. J'utilise de la corde en nylon pour suspendre mes mangeoires, car les écureuils ont plus de mal à y grimper. Ces petits rongeurs n'hésiteront pas à descendre le long d'une chaîne métallique. Enfin, suspendez la mangeoire à au moins 2 m du sol. J'ai déjà vu mon chat faire un bond de 1,5 m pour attraper un pigeon !

Si la mangeoire doit se trouver à un endroit qui convient aux oiseaux et qui ne convient pas aux chats et aux écureuils, elle doit aussi être installée à un endroit qui vous plaît. Après tout, vous voulez en profiter. Vous choisirez un emplacement que vous pourrez observer à loisir. Les femmes au foyer pourront choisir un endroit donnant sur la fenêtre de la cuisine afin de pouvoir observer les oiseaux tout en travaillant. D'autres voudront voir la mangeoire d'une porte-fenêtre ou à partir de la dînette. J'ai installé une mangeoire à l'avant de la maison, parce que j'aime bien observer les oiseaux à partir de mon fauteuil du salon. Installez la mangeoire à un endroit où elle sera bien visible, mais aussi facilement accessible. Ce petit coin charmant de votre jardin vous semble peut-être parfait, mais qu'en sera-t-il cet hiver lorsque vous devrez aller garnir la mangeoire chaque jour ? Installez donc votre mangeoire à un endroit rapproché, relativement abrité, et félicitez-vous d'avoir choisi un modèle qui se remplit rapidement.

Installation

Une fois l'emplacement choisi, vous voudrez installer votre mangeoire sans plus attendre. Les conseils se rapportant à l'installation relèvent du gros bon sens. Peu importe le mode d'installation, assurez-vous que la mangeoire est solidement fixée et qu'elle pourra résister au vent et aux assauts des chats et des écureuils. Prévoyez aussi son entretien et ses réparations. Même si la mangeoire doit être fixée solidement, n'en faites pas une installation permanente au point de ne plus pouvoir modifier l'aménagement paysager de votre terrain.

Comme la plupart des mangeoires sont suspendues ou fixées à des poteaux, j'ai consacré une section à chacun de ces deux modes d'installation. Si vous préférez fixer votre mangeoire au côté d'une clôture ou d'un bâtiment, vous aurez intérêt à mieux connaître les nombreux types de supports que l'on peut trouver dans les quincailleries. Un vendeur se fera un plaisir de résoudre votre problème en vous recommandant une pièce dont vous n'auriez même pas soupçonné l'existence.

Mangeoire fixée à un poteau

Si vous avez acheté une mangeoire toute faite qui doit être fixée à un poteau, vous trouverez dans l'emballage des recommandations pour son installation sur un tuyau ou sur un poteau. Si vous fabriquez votre propre mangeoire ou si celle que vous avez achetée n'est pas conçue pour être fixée à un poteau, vous devrez vous procurer une bride à tuyau. La bride sera fixée au-dessous de la mangeoire avec des vis, puis vissée au bout du tuyau ou fixée avec une vis de blocage (voir figures 6-1 et 6-2). Les brides filetées sont peu coûteuses et faciles à trouver; elles sont vendues en différents diamètres correspondant à celui du tuyau.

Étant donné que je recommande d'utiliser une bride à tuyau, cela signifie que je préfère les tuyaux métalliques aux poteaux en bois. En plus de mieux résister aux intempéries et aux insectes, les tuyaux métalliques présentent une surface glissante à laquelle les

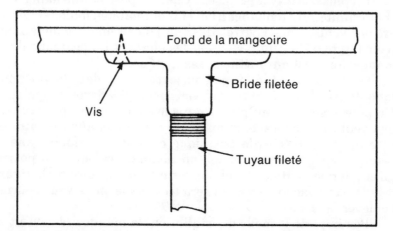

Fig. 6-1 Bride filetée pour fixer une mangeoire au bout d'un tuyau

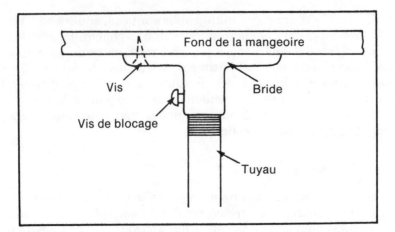

Fig. 6-2 Mangeoire fixée au bout d'un tuyau avec une bride à vis de blocage

chats et les écureuils ne peuvent grimper. Il sont en outre peu coûteux, d'autant plus qu'il n'est pas nécessaire de choisir un tuyau de très fort calibre pour que l'installation soit solide. Un tuyau non fileté et une bride à vis de blocage faciliteront le démontage de la mangeoire en cas de besoin.

J'évite d'installer des mangeoires sur des poteaux en bois car les chats et les écureuils ont trop de facilité à y grimper. Si vous choisissez quand même d'utiliser un poteau en bois, fixez-y au moins deux équerres afin de bien supporter la mangeoire. La figure 6-3 en donne un exemple.

En plus d'effrayer les oiseaux qui s'y posent, une mangeoire chancelante aura tendance à devenir de moins en moins solide au gré des vents. Vous pourrez fixer au poteau un cône métallique (voir figure 6-20) afin d'éloigner les chats et les écureuils de la mangeoire; c'est une méthode assez efficace.

Quel que soit le type de poteau, je recommande de lui faire une fondation en béton à moins que vous prévoyiez devoir le déplacer. Un poteau simplement planté dans le sol ne pourra pas résister aux vents, aux chocs de la tondeuse à gazon et aux assauts des enfants. Une excellente technique consiste à enfouir dans le béton, jusqu'au niveau du sol, un tuyau dans lequel on pourra glisser fermement celui qui supporte la mangeoire (voir figure 6-4). De cette façon, le poteau sera très solide, mais vous pourrez l'enlever facilement.

Peu importe le mode d'installation, la mangeoire devrait se trouver à environ 2 m du sol. C'est un minimum pour la mettre à

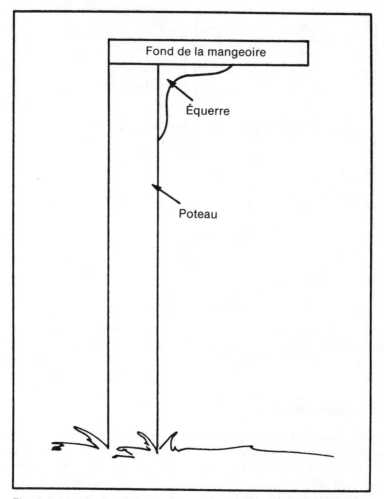

Fond de la mangeoire

Équerre

Poteau

Fig. 6-3 Mangeoire fixée à un poteau en bois avec des équerres

l'abri des chats, mais c'est un peu haut lorsqu'il s'agit de la remplir. À vous de décider quelle hauteur convient le mieux. Si un enfant doit remplir la mangeoire, vous devrez l'installer plus bas. Cependant, si votre taille le permet, vous pourrez l'installer à l'abri des chats.

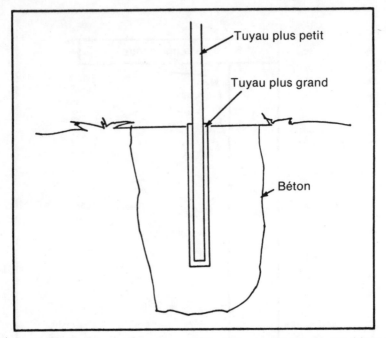

Tuyau plus petit

Tuyau plus grand

Béton

Fig. 6-4 Des tuyaux de diamètres différents permettent de combiner la solidité d'une fondation en béton avec la rapidité de démontage

Mangeoire suspendue

Si vous avez acheté une mangeoire toute faite destinée à être suspendue, elle comportera un œillet à son sommet. Assurez-vous que l'œillet est fait d'un matériau qui pourra résister aux intempéries et au poids de la mangeoire. S'il vous semble fragile, vous pourrez le remplacer par un œillet robuste, fixé avec un écrou et deux rondelles, tel qu'illustré à la figure 6-5. Certaines mangeoires sont munies de deux œillets de suspension. Je vous suggère d'attacher un bout de chaînette aux deux œillets, puis de fixer un anneau de 1″ ou 1 1/2″ au maillon du centre. L'anneau n'est pas obligatoire, mais il est plus facile de passer une corde dans un anneau que dans le maillon d'une chaînette. Si la mangeoire n'est pas suspendue par un seul point, elle risque de glisser et de pencher sur un côté. La figure 6-6 illustre ce mode de suspension.

Les mangeoires à plateau sont un peu plus difficiles à suspendre. Pour une mangeoire carrée ou rectangulaire, fixez un œillet à chaque coin. Choisissez des œillets assez robustes pour

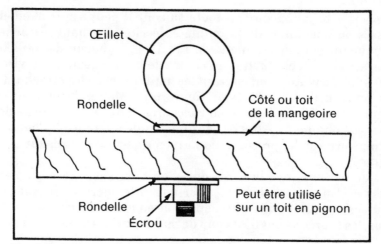

Fig. 6-5 Œillet de suspension pour mangeoire

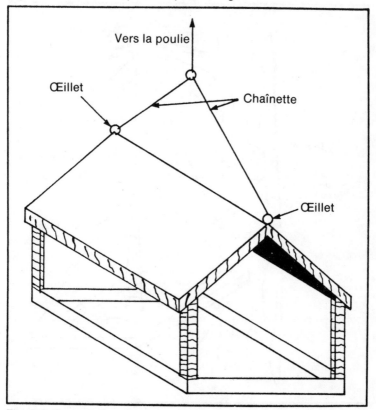

Fig. 6-6 Suspension d'une mangeoire à partir de deux points

supporter la mangeoire en toute saison. Il peut s'agir d'œillets vissés ou boulonnés de la manière décrite plus haut. Attachez ensuite un bout de chaînette de 12″ à 24″ à chacun des œillets. Rassemblez les chaînettes au centre de la mangeoire, à environ 12″ à 18″ du plateau, en ouvrant les maillons et en les attachant à un anneau de 2″ à 3″ (voir figure 6-7). Mettez le plateau en équilibre en allongeant ou en raccourcissant l'un ou l'autre des bouts de chaînette. Attachez enfin la corde à l'anneau. Pour une mangeoire ronde, procédez de la même façon en utilisant trois œillets.

Je recommande la corde de nylon pour suspendre les mangeoires. En plus de bien résister aux intempéries, elle est peu coûteuse, facile à utiliser et disponible en plusieurs grosseurs. De plus, les écureuils ont beaucoup de mal à y grimper. Les cordes en

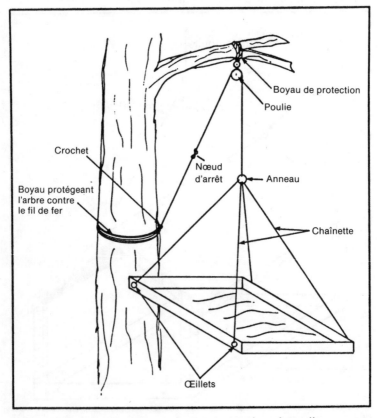

Fig. 6-7 Mangeoire suspendue avec un système à poulie

fibres naturelles ne résistent pas au soleil et à l'humidité, tandis que les chaînes s'utilisent mal avec une poulie et facilitent les incursions des écureuils. Une fois la corde attachée à l'anneau, la mangeoire est prête à être suspendue.

La meilleure façon de suspendre une mangeoire consiste à utiliser un système à poulie afin d'en faciliter l'entretien et le remplissage. Ainsi, la mangeoire peut être suspendue aussi haut qu'il le faut pour que les oiseaux soient à l'abri, puis descendue à la hauteur requise pour être garnie ou nettoyée. C'est un système très pratique, qui est à la fois peu coûteux et facile d'installation.

Choisissez d'abord l'endroit où vous voulez suspendre la mangeoire. Protégez la branche à laquelle sera suspendue la poulie en la recouvrant d'un bout de boyau d'arrosage fendu en deux. Suspendez la poulie à la branche avec une corde résistante, du fil de fer ou un morceau de cintre à vêtements (voir figure 6-7). Il suffit ensuite de passer la corde de suspension dans la poulie.

Pour maintenir la mangeoire suspendue à la hauteur voulue, vous devrez attacher l'extrémité de la corde à un crochet. La figure 6-7 montre comment on peut obtenir un crochet en encerclant le tronc de l'arbre avec un cintre à vêtements glissé dans un boyau d'arrosage pour protéger l'écorce. Les extrémités du cintre sont ensuite attachées ensemble et pointées vers le bas pour former un crochet dans lequel il suffira de glisser une boucle faite au bout de la corde.

Il ne reste plus qu'un dernier détail à ajouter. Lorsqu'on détache la mangeoire pour l'abaisser, on peut la faire descendre jusqu'au sol. Pour la maintenir à une hauteur pratique pour le remplissage, il faut tenir la corde dans une main, ce qui n'est pas très pratique. J'ai résolu le problème en faisant un nœud d'arrêt dans la corde (trop gros pour qu'il passe dans la poulie) afin que la mangeoire s'arrête juste à la bonne hauteur.

Essayez ce système de suspension. Plusieurs ornithologues que je connais l'ont adapté à leurs besoins spécifiques. On peut l'utiliser pour suspendre une mangeoire à une saillie du toit ou n'importe où ailleurs.

Nettoyage et entretien

Une fois installée, votre mangeoire n'exigera que très peu d'entretien. Les mangeoires bien conçues brisent rarement et sont pratiquement inusables. L'entretien se limitera essentiellement à l'aspect esthétique et à la vérification de l'installation. Vous songerez sans doute un jour à repeindre votre mangeoire. Personnellement, je ne m'en soucie pas trop, car il me semble que les oiseaux préfèrent les couleurs ternies par les intempéries. Si vous décidez de peindre ou de vernir votre mangeoire, laissez-la reposer quelques semaines afin que toutes les émanations toxiques se dissipent. Il est plus important de vérifier périodiquement si la mangeoire est toujours solidement installée. Exposés au vent et aux intempéries, les vis peuvent se relâcher, le bois peut gauchir ou gonfler et la corde peut pourrir ou s'user. Faites une inspection visuelle chaque fois que vous remplissez la mangeoire et procédez à un examen plus détaillé de temps à autre.

Une mangeoire bien conçue n'exige pratiquement pas de nettoyage. Dans le cas des mangeoires à plateau, il n'y a rien à faire. Le vent emporte les débris et les cosses, tandis que la pluie nettoie le plateau. Le seul cas où il faut nettoyer une mangeoire à plateau, c'est lorsqu'on y met des restes de table. Les restes d'aliments peuvent en effet s'accumuler, se décomposer et attirer les insectes. Les autres modèles de mangeoires exigent un nettoyage approprié. Ainsi, certaines trémies ont tendance à se bloquer lorsque les graines gonflent sous l'effet de l'humidité. J'ai déjà vu des graines germer dans ce type de mangeoire. Ce n'est pas très agréable à nettoyer. Surveillez bien votre trémie et nettoyez-la dès que les graines semblent s'en écouler moins rapidement que d'habitude. Les coins intérieurs des mangeoires fermées ont tendance à favoriser l'accumulation de cosses et autres débris. On devra donc en gratter le fond à l'occasion. Ce nettoyage est encore plus important lorsque la mangeoire a été utilisée comme abri pendant l'hiver. Vous voudrez peut-être à l'occasion nettoyer le sol sous vos mangeoires, quoique cela ne me pose généralement aucun problème. Les graines qui tombent germent parfois et donnent naissance à un massif naturel de tournesols, de millet et autres plantes grasses.

Voilà tout ce qu'on peut dire du nettoyage et de l'entretien des mangeoires. Encore une fois, le secret d'un entretien facile réside dans le choix d'une mangeoire adaptée à vos besoins et à ceux de vos visiteurs ailés.

Les mangeoires proposées dans les pages qui suivent représentent une bonne variété de modèles, de dimensions et de projets de bricolage de difficultés variées. Ce sont des modèles qui ont fait leurs preuves auprès de la plupart des espèces d'oiseaux. Vous y trouverez au moins un modèle qui vous plaît et qui correspond à vos aptitudes en bricolage.

Mangeoire à plateau

La mangeoire à plateau est sans doute le modèle le plus polyvalent et le plus efficace. Il présente en outre l'avantage d'être le plus facile à fabriquer. Cette mangeoire se compose d'un fond et de quatre côtés ; sa fabrication n'exige qu'un minimum de découpage, d'assemblage et d'ajustement. Quiconque peut clouer les

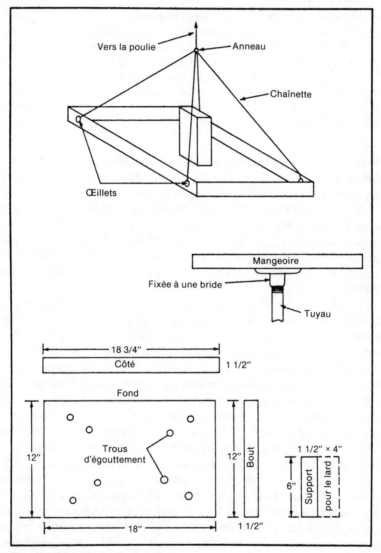

Fig. 6-8 Mangeoire à plateau

- contre-plaqué de 3/8″ pour les bouts et les côtés;
- planche de 1″ d'épaisseur pour le fond;
- morceau de bois pour le support pour le lard (facultatif);
- colle à bois (facultatif);
- clous ou vis de 3/4″ ou 1″ (au moins une vingtaine); ,
- grillage métallique de 1/4″ ou 1/2″ pour le support pour le lard (facultatif);
- agrafes pour fixer le grillage (facultatif);
- 4 œillets avec écrous (mangeoire suspendue);
- 8′ à 10′ de chaînette (mangeoire suspendue);
- anneau de 1 1/2″ ou 2″ (mangeoire suspendue);
- bride à tuyau (mangeoire fixée à un poteau);
- peinture, teinture ou vernis (au goût).

Fig. 6-9 Matériaux requis

côtés au fond et fixer des œillets ou une bride est capable d'en fabriquer une. C'est un excellent projet à proposer à un enfant qui veut apprendre les rudiments de la menuiserie.

Après avoir consulté le plan (voir figure 6-8) et la liste de la figure 6-9, rassemblez tous les matériaux dont vous aurez besoin. Il n'y a rien de plus frustrant que de devoir s'arrêter en plein travail parce qu'on manque de bois ou de vis. N'oubliez pas de modifier les mesures indiquées si vous utilisez du bois de dimensions différentes.

Trouvez un morceau de bois approprié et déterminez les dimensions du fond de la mangeoire. Pour cette partie, j'aime bien utiliser des planches de 1″ d'épaisseur, parce que le bois est plus facile à clouer et qu'il donne du poids à la mangeoire, l'empêchant ainsi d'être ballottée par le vent. Pour obtenir une largeur de 12″, il faut généralement assembler chant contre chant deux planches de 6″, soit avec une plaque métallique vissée, soit avec une traverse en bois. Indiquez bien vos mesures et utilisez une équerre pour tracer des coins bien droits. Découpez ensuite avec une égoïne, une scie à guichet ou une scie à découper. Poncez les bordures au papier de verre rugueux et percez plusieurs trous d'égouttement de 1/4″ de diamètre. Marquez ensuite les dimensions des bouts et des côtés sur un morceau de contre-plaqué de 3/8″ d'épaisseur, puis découpez. Essayez de couper les bouts droits afin qu'ils s'appuient les uns contre les autres. Si vous ne désirez pas y installer un support pour le lard, votre mangeoire est déjà prête pour l'assemblage. Si vous en voulez un, découpez-le dans une retaille de bois. Vous remarquerez que le plan prévoit un petit support, auquel vous pourrez suspendre un sac de lard, ou un support plus large, auquel vous fixerez un grillage métallique. Poncez le support et commencez l'assemblage.

Appliquez de la colle sur l'un des deux bouts et appuyez-le contre un bout du fond de la mangeoire. Maintenez-le en place à la main ou avec des serre-joints afin d'y percer des avant-trous pour les vis ou placez l'assemblage debout afin de le clouer. Utilisez plusieurs vis ou clous, car le bois gauchira aux intempéries. Procédez de la même façon pour assembler l'autre bout. Assurez-vous que les extrémités des bouts affleurent bien aux bordures du fond de la mangeoire. Si ce n'est pas le cas, vous devrez les poncer afin que les côtés s'ajustent bien.

Une fois les deux bouts assemblés, utilisez la même technique pour fixer les deux côtés. Ajustez à angle droit et appliquez beaucoup de colle dans les coins. Obturez tous les joints ouverts avec de la colle ou du mastic adhésif. Poncez ensuite le plateau avec un papier de verre rugueux, puis avec un papier de verre plus fin.

C'est maintenant le moment d'assembler le support pour le lard. S'il doit supporter un grillage métallique, prenez un morceau de grillage de 1/4″ ou 1/2″ un peu plus large et un peu plus court que le support. Pliez le grillage autour du support en formant des coins carrés. Repliez les bordures du grillage afin de pouvoir le fixer au support. Laissez le haut du grillage ouvert afin de pouvoir y mettre du lard, mais fermez-le bien à sa base. Placez le support sur le fond de la mangeoire à l'endroit désiré et marquez son emplacement au crayon. Retirez le support et percez deux trous dans le fond de la mangeoire. Remettez le support en place et percez-y deux avant-trous vis-à-vis des trous déjà percés. Appliquez de la colle sur la base du support, alignez les trous et vissez solidement. Si vous installez le petit support, plantez un clou à son sommet afin de pouvoir y suspendre un sac de lard. Fixez-le au fond de la mangeoire de la même façon, mais avec une seule vis, car le support est plus étroit. Il ne vous reste plus qu'à apporter la touche finale.

Personnellement, je n'applique sur mes mangeoires qu'une simple couche de vernis transparent destiné à protéger le bois contre les intempéries. Vous pouvez aussi décider de peindre votre mangeoire. Poncez-la d'abord comme il faut. Si vous le désirez, appliquez une couche d'apprêt pour bien sceller le bois. Laissez sécher, poncez à nouveau, puis appliquez la couche de finition.

Que vous utilisiez de la peinture ou du vernis, prenez soin de bien sceller les côtés des trous d'égouttement, mais sans les boucher. Si la peinture bouche un trou, percez-le à nouveau lorsqu'elle est sèche.

Le séchage terminé, vous pouvez procéder à l'installation de la mangeoire. Ce modèle peut être suspendu ou fixé à un poteau ou à un mur. Si vous voulez suspendre la mangeoire, percez des trous aux quatre coins afin d'y fixer les œillets à écrous et à rondelles. Serrez fermement. Attachez ensuite des bouts de chaînette de 18″ à 24″ à chacun des œillets en ouvrant un maillon avec des pinces, puis en le refermant sur l'œillet. Réunissez les chaînettes au centre de la mangeoire, à la hauteur désirée, puis attachez-les à un anneau de 1 1/2″ ou 2″ de la même façon. Mettez la mangeoire en équilibre en modifiant la longueur de chacune des chaînettes. Refermez les maillons fermement sur l'anneau, puis attachez-y la corde de suspension.

Si la mangeoire doit être fixée au bout d'un tuyau, centrez la bride sous le plateau et vissez-la solidement. Si vous doutez de la solidité du fond de votre mangeoire, vous pouvez fixer la bride avec des boulons et des écrous plutôt qu'avec des vis à bois. Fixez ensuite la bride au tuyau de la manière prévue. La mangeoire à plateau peut aussi être fixée à une équerre lorsqu'elle est montée sur un mur ou au bout d'un poteau en bois.

Mangeoire à plateau faite avec un cadre

Voici le modèle de mangeoire à plateau le plus simple à réaliser avec un minimum de matériaux. Il s'agit d'une mangeoire suspendue qui conviendra à pratiquement toutes les espèces d'oiseaux.

La liste des matériaux est très courte. Il suffit d'avoir un encadrement pour tableau (le plus grand possible) et un morceau de contre-plaqué ou de panneau de fibres découpé aux dimensions requises pour s'ajuster dans le cadre. Vous trouverez certainement un vieux cadre quelque part dans la maison, mais vous pouvez aussi en acheter un neuf à peu de frais. Choisissez un cadre en bois, car il est plus facile d'y visser les pièces de suspension. Il vous faudra aussi quatre petits œillets à vis, de 4′ à 5′ de chaînette (ou de corde robuste), un anneau métallique de 2″ et du mastic adhésif élastique.

Après avoir choisi l'encadrement, découpez le panneau aux dimensions voulues pour qu'il s'y ajuste. Si l'encadrement est vitré, il vous suffira d'enlever la vitre et de la poser sur le panneau afin de tracer son contour. Après avoir poncé ses bordures, essayez d'ajuster le panneau dans l'encadrement. Lorsque l'ajustement est parfait, appliquez un cordon de mastic sur les bords du panneau et remettez-le en place. Calfeutrez à nouveau sur l'autre côté pour obturer tous les joints ouverts entre le panneau et le cadre. Laissez sécher pendant plusieurs heures.

Après la période de séchage, placez le cadre à plat en tournant ses bordures évasées vers le haut. Ces bordures empêcheront les aliments de tomber de la mangeoire ou d'être emportés par le vent. Vissez ensuite un œillet à chaque coin. (S'il faut percer des avant-trous, un adulte pourra le faire à la place d'un enfant trop jeune pour utiliser des outils électriques.) Coupez la chaînette ou la corde en quatre longueurs à peu près égales, puis attachez chacune à un œillet. La meilleure technique consiste à ouvrir le chaînon du bout avec des pinces, puis à le refermer sur l'œillet. Rassemblez les chaînettes au centre du cadre, à la hauteur voulue, puis modifiez la longueur de chacune afin de mettre le plateau en équilibre. Attachez ensuite le bout de chaque chaînette à l'anneau métallique de la manière décrite précédemment. Vérifiez à nouveau si le plateau est bien en équilibre lorsqu'il est suspendu.

Protégez votre mangeoire contre les intempéries en y appliquant une ou deux couches de vernis ou de peinture. Cette couche de protection est d'autant plus importante lorsqu'on utilise un panneau de fibres, qui est beaucoup plus vulnérable que le contre-plaqué. Après avoir laissé sécher, attachez une corde à l'anneau et suspendez la mangeoire à la branche d'un arbre ou à une saillie du toit.

Mangeoire à plateau couverte

Si vous voulez conserver les avantages de la mangeoire à plateau tout en offrant une meilleure protection à vos visiteurs, voici un modèle qui vous conviendra. Comme on peut le voir à la figure 6-10, le toit protégera le plateau de la pluie et de la neige, mais la mangeoire restera assez grande pour accueillir de nombreux oiseaux et assez ouverte pour faciliter l'observation et le remplissage. Ce modèle peut être fixé au bout d'un poteau ou suspendu.

La fabrication de cette mangeoire n'est pas très compliquée. Commencez par tracer le contour du fond, des deux côtés, des deux bouts et des deux parties du toit sur un panneau de contre-plaqué

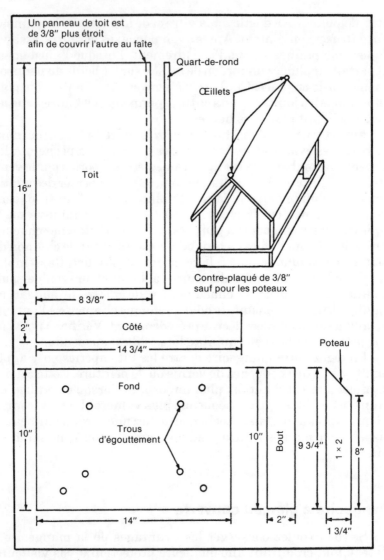

Fig. 6-10 Mangeoire à plateau couverte

de 3/8″. Tel qu'indiqué à la liste des matériaux (voir figure 6-11), on peut utiliser des planches de 1″ d'épaisseur pour obtenir un fond plus robuste. Découpez chaque pièce avec soin, poncez-la et mettez-la de côté. Coupez le quart-de-rond à la longueur voulue et vérifiez-la en plaçant la pièce contre le plus long côté d'un panneau

- contre-plaqué de 3/8" ;
- planches de 1" d'épaisseur pour le fond (facultatif) ;
- pièces de 1 × 2 pour les poteaux corniers ;
- quart-de-rond de 16" de longueur ;
- vis de 1" (au moins 16) ;
- clous à finir de 3/4" ou 1" (au moins 30) ;
- colle à bois (facultatif) ;
- 2 œillets à écrous (mangeoire suspendue) ;
- chaînette de 2' (mangeoire suspendue) ;
- anneau métallique de 1 1/2" ou 2" (mangeoire suspendue) ;
- bride à tuyau (mangeoire fixée au bout d'un tuyau) ;
- peinture, teinture ou vernis (au goût).

Fig. 6-11 Matériaux requis

du toit. Découpez les poteaux corniers avec soin. Vous remarquerez que chacun est coupé en biseau à son extrémité supérieure. Il suffit pour cela de marquer la hauteur du poteau sur chacun de ses côtés, puis de tracer une ligne de coupe entre les deux points. Poncez ensuite les pièces et mettez de côté.

L'assemblage de cette mangeoire commence avec la mise en place des poteaux. Assemblez les pièces du toit sans les fixer pour vous assurer qu'elles s'adaptent bien. Percez ensuite des avant-trous légèrement plus petits que les vis utilisées. Appliquez de la colle à la base de chaque poteau et vissez-le par le fond au plateau de la mangeoire. Essayez de fixer chaque poteau avec deux vis afin de l'empêcher de pivoter ; prenez toutefois soin de ne pas fendre le bois en utilisant des vis trop grosses. Vous disposez maintenant d'un fond auquel sont solidement fixés quatre poteaux corniers. Vous passerez ensuite à l'assemblage des bouts et des côtés.

Appliquez de la colle (si vous en utilisez) le long des deux pièces des bouts et appuyez-les contre le fond. Avec de petits clous à finir, clouez les bouts au fond de la mangeoire. Percez ensuite un avant-trou à travers chaque bout, jusque dans chaque poteau cornier, et enfoncez-y une vis à bois. Procédez de la même manière pour fixer les côtés, qui recouvriront les extrémités des bouts. Percez plusieurs trous d'égouttement de 1/4" dans le fond de la mangeoire.

Le toit de la mangeoire forme un pignon à 45°. C'est très facile à réaliser avec un quart-de-rond. N'oubliez pas que l'un des deux panneaux du toit doit être plus étroit que l'autre de 3/8". Prenez ce panneau étroit et le quart-de-rond. Appliquez un cordon de colle sur l'un des côtés plats du quart-de-rond. Avec de petits clous à finir, fixez le panneau du toit au quart-de-rond de manière à ce que leurs extrémités affleurent. Appliquez ensuite de la colle sur l'autre côté plat du quart-de-rond et clouez-y l'autre panneau de manière à ce qu'il recouvre le chant du premier, tel qu'illustré à la figure 6-10. L'ensemble du toit peut maintenant être posé sur la mangeoire. Alignez le toit sur les poteaux, percez-y des avant-trous et vissez-le en place.

Cette mangeoire étant fabriquée avec du contre-plaqué, vous devrez la protéger avec de la peinture, de la teinture ou du vernis. Assurez-vous de choisir un produit qui n'est pas toxique. Après le séchage, il ne vous reste plus qu'à installer la mangeoire. Fixez une bride à tuyau ou une équerre au fond de la mangeoire si elle doit être montée au bout d'un poteau ou contre un mur. Pour suspendre la mangeoire, boulonnez deux œillets à travers le toit, tel qu'indiqué sur le plan, puis suspendez de la manière décrite plus haut.

Trémie

La figure 6-12 nous montre une trémie que l'on peut suspendre ou encore fixer à un poteau ou à un mur. Sa capacité et ses dimensions évitent les remplissages trop fréquents et permettent de nourrir plusieurs oiseaux en même temps.

Après avoir réuni les matériaux requis (voir figure 6-13), découpez les pièces aux dimensions indiquées. Apportez une attention spéciale au découpage des deux côtés, dont les formes sont irrégulières. Poncez ensuite chacune des pièces et rassemblez tout ce dont vous aurez besoin pour l'assemblage.

Vous remarquerez que la vitre et le dos s'adaptent à l'intérieur des côtés. La première étape de l'assemblage consistera à placer le dos debout sur l'un de ses côtés puis à y coller et visser un côté. Retournez-le ensuite pour fixer l'autre côté. Vous disposerez alors d'un cadre à l'intérieur duquel vous pourrez installer la vitre. Vous aurez besoin de deux retailles de bois de 3/4" afin de maintenir l'ouverture requise au bas de la trémie. C'est par cette ouverture que les graines s'écouleront. Essayez la vitre en faisant affleurer sa bordure supérieure avec le haut des côtés tout en maintenant une ouverture de 3/4" à la base. Les bordures de la vitre doivent aussi affleurer à la surface des côtés de la trémie. Si toutes les pièces s'ajustent bien, appliquez une bonne couche de

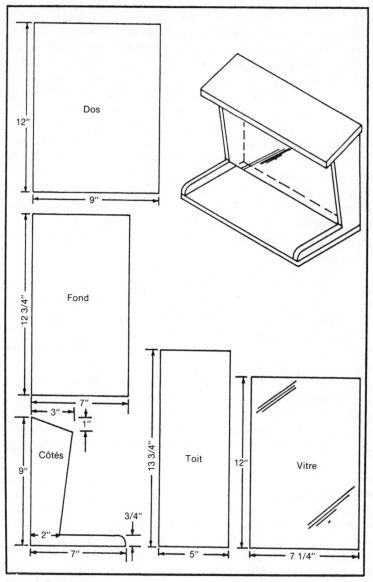

Fig. 6-12 Trémie

mastic adhésif élastique sur la bordure avant des côtés où reposera la vitre. Écartez un peu les côtés afin d'y glisser la vitre en l'enfonçant bien dans le mastic. Laissez reposer la vitre sur des

97

retailles de bois afin de maintenir l'ouverture de 3/4". Essuyez l'excédent de mastic et maintenez fermement l'assemblage avec des élastiques pendant qu'il sèche. Lorsque le mastic est sec, examinez le joint et calfeutrez à nouveau si vous jugez que c'est nécessaire. Les mastics au silicone sont très résistants, comme le démontre leur usage pour assembler des aquariums. Cependant, quelques précautions valent mieux qu'une déception.

Il ne vous reste plus alors qu'à fixer le fond et le toit. Pour fixer le fond, retournez la trémie à l'envers, appliquez de la colle sur les surfaces qui doivent être assemblées, puis vissez ou clouez le fond aux côtés. N'appliquez pas une trop forte pression sur les parties minces des côtés. Avant de fixer le toit, mettez-le en place pour vérifier s'il s'ajuste bien. Assurez-vous qu'il surplombe bien la vitre et les côtés d'au moins 1/2". Fixez-le ensuite au dos de la mangeoire avec des charnières qui permettront de le soulever pour le remplissage.

Comme toutes les autres mangeoires en bois, celle-ci doit être traitée contre les intempéries. Couvrez-la de peinture, de teinture ou de vernis, selon vos goûts. Fixez des crochets et des œillets qui maintiendront le toit bien fermé, surtout si la mangeoire doit être suspendue. Si la mangeoire est fixée à un poteau ou à un mur, le poids du toit devrait suffire à le garder fermé. Laissez sécher la mangeoire dans un endroit bien aéré pendant quelques semaines avant de l'installer. Fixez une bride au fond de la mangeoire pour la monter au bout d'un tuyau. Si elle doit être fixée à un mur, à un poteau en bois, à une clôture ou à un arbre, utilisez plutôt une équerre. Pour la suspendre, assurez-vous que le toit est maintenu bien fermé par des crochets, puis fixez un œillet en son centre,

---

- contre-plaqué de 3/8" ;
- vitre ou plexi de 1/4" d'épaisseur et de 12" sur 7 1/4" ;
- mastic adhésif élastique pour baignoires ;
- retailles de bois de 3/4" d'épaisseur (au moins 2) ;
- clous à finir ou petites vis de 3/4" ou 1" (au moins 20) ;
- 2 petites charnières ;
- système de fermeture du toit (2 crochets et 2 œillets) ;
- 1 œillet à écrou (mangeoire suspendue) ;
- bride à tuyau ou équerre (mangeoire fixée à un tuyau ou à un poteau) ;
- peinture, teinture ou vernis (au goût).

Fig. 6-13 Matériaux requis

légèrement vers l'arrière. Attachez la corde de suspension à l'œillet au moyen d'un crochet de sûreté comme ceux qu'on utilise au bout d'une laisse pour chien. Pour remplir la mangeoire, il suffira de la soulever ou de la décrocher afin d'ouvrir le toit.

Trémie facile à fabriquer

La trémie que l'on voit à la figure 6-14 est non seulement facile à fabriquer, elle est aussi très peu coûteuse. Pour réaliser ce projet, il suffit d'un morceau de bois d'environ 12″ par 12″, de quatre bouts de quart-de-rond, d'une petite retaille de bois, d'un long

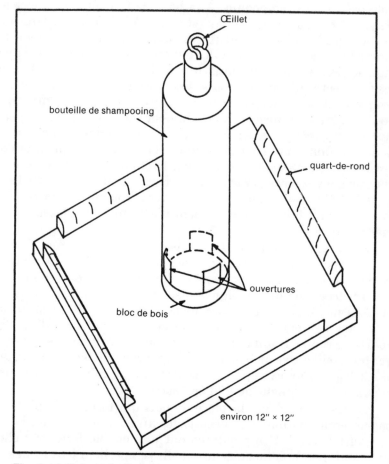

Fig. 6-14 Trémie facile à fabriquer

boulon avec son écrou, d'un œillet à écrou, d'un peu de colle, de quelques petits clous et d'une bouteille de shampooing en plastique, vide. Le plateau de la mangeoire peut être fait avec un morceau de bois de n'importe quelle dimension, ou même avec une vieille assiette à tarte en métal.

Trouvez d'abord une grosse bouteille de shampooing en plastique munie de son bouchon. Idéalement, choisissez une bouteille semi-transparente afin de pouvoir distinguer le niveau des graines à l'intérieur. Bien que n'importe quel bouchon puisse convenir, les bouchons à languette risquent de poser des problèmes de montage. Il est préférable de choisir une bouteille munie d'un simple bouchon vissé. Lavez bien la bouteille et son bouchon afin de faire disparaître toute odeur de shampooing. À la base de la bouteille, tracez au crayon trois ouvertures équidistantes. Afin de permettre aux graines de s'écouler librement, ces ouvertures devraient avoir au moins 3/4″ de côté. Découpez les ouvertures avec un couteau bien aiguisé. Percez un trou dans le bouchon et fixez-y l'œillet en vissant l'écrou à l'intérieur. Essayez de remettre le bouchon sur la bouteille. Il peut arriver, surtout s'il n'est pas bien centré, que l'œillet gêne la remise en place du bouchon. Vous pourrez peut-être quand même visser le bouchon suffisamment pour qu'il tienne. Il faut toutefois être prudent, car le vent risque alors de dévisser le bouchon et de provoquer la chute de la mangeoire. Si vous ne pouvez resserrer le bouchon fermement, essayez d'y fixer un œillet plus petit ou percez un nouveau trou mieux centré. Une fois ce travail fait, c'est le moment d'assembler le plateau de la mangeoire.

Même si le plan prévoit une pièce de bois d'environ 12″ par 12″, n'importe quel morceau de bois pourra convenir. Le plateau ne devrait cependant pas avoir moins de 8″ de côté, sinon il ne pourra accueillir que quelques oiseaux à la fois. La forme du plateau ne doit pas nécessairement être carrée; il lui suffit de présenter des bordures assez droites pour pouvoir y fixer les quarts-de-ronds. Étant donné que la mangeoire ne sera supportée que par l'œillet fixé au bouchon, il importe de choisir un matériau assez léger. Par exemple, un contre-plaqué mince conviendra mieux qu'une planche de 1″ d'épaisseur.

Après avoir choisi la pièce de bois qui formera le plateau, poncez-en les bordures et mesurez-les afin d'y adapter des bouts de quart-de-rond. Ces moulures ont une double fonction: elles servent de perchoir aux oiseaux et elles empêchent les graines de glisser hors du plateau. Évitez cependant de fixer des moulures sur tout le périmètre, sinon votre mangeoire se transformera en bassin à la première pluie. Pour favoriser l'égouttement de l'eau, coupez les moulures à environ 1″ de chaque coin. Poncez les moulures si nécessaire et fixez-les aux bordures du plateau avec de petits clous et de la colle. Pour une finition plus professionnelle, faites affleurer les moulures aux bordures du plateau.

Si vous choisissez une assiette métallique pour former le plateau, vous n'aurez pas à vous soucier des moulures, mais vous devrez y percer des trous pour que l'eau s'en égoutte. Personnellement, je préfère le bois, parce qu'il est moins froid et moins glissant pour les oiseaux. Néanmoins, une assiette à tarte permet d'obtenir un plateau convenable rapidement et à peu de frais. N'utilisez cependant pas une assiette jetable en aluminium, car elle ne résistera pas assez longtemps.

Passons maintenant à l'assemblage final. Centrez la bouteille sur le plateau et marquez son emplacement en traçant son contour avec un crayon. Il est très important de bien centrer la bouteille, sinon la mangeoire sera déséquilibrée et penchera d'un côté. Trouvez une retaille de bois d'environ 3/4″ d'épaisseur et découpez-la à la forme de la base de la bouteille. Cette pièce permettra de fixer la bouteille au-dessus du niveau du plateau, facilitant ainsi l'écoulement des graines et empêchant l'eau de s'y accumuler. Le bloc de bois ne doit cependant pas être plus large que la base de la bouteille, sinon il risque de nuire à l'écoulement des graines. Placez le bloc de bois sur le contour que vous avez tracé sur le plateau, puis percez un trou en son centre et à travers le plateau de la mangeoire. Percez ensuite un trou au centre du fond de la bouteille. Avec un long tournevis, poussez un boulon à l'intérieur de la bouteille de manière à ce qu'il passe par le trou du fond. Faites ensuite pénétrer le boulon à travers le bloc d'écartement et le plateau avant de le fixer au moyen d'un écrou. C'est une opération assez difficile, qui exige de la patience. Je recommande d'appliquer une bonne couche de mastic adhésif sur les deux faces du bloc d'écartement avant de le fixer en place. Serrez fermement l'écrou. Si vous n'avez pas un tournevis assez long ou si vous manquez de patience, vous pouvez coller les pièces ensemble plutôt que de les boulonner. Les mastics au silicone sont des adhésifs qui résistent très bien aux intempéries.

Cette trémie n'exige pas de longs travaux de finition. Il vous suffira de protéger ses pièces en bois en y appliquant une ou deux couches de peinture ou de vernis. Ne peignez pas la bouteille si vous voulez pouvoir distinguer le niveau des graines à l'intérieur.

Après avoir laissé sécher la couche de finition pendant deux semaines, vérifiez si toutes les pièces de la mangeoire sont bien solidement assemblées. Dévissez le bouchon, remplissez la bouteille à l'aide d'un entonnoir et suspendez votre trémie à la branche d'un arbre ou à une saillie du toit. Suspendez-la à une hauteur qui vous permettra de la remplir facilement. Si vous désirez suspendre la trémie plus haut, que ce soit par goût ou pour l'éloigner des chats ou des écureuils, faites appel au système de suspension à poulie décrit précédemment.

Par sa nature même, une mangeoire à trémie exige un peu plus d'attention que les autres types de mangeoires. Étant donné que les graines doivent s'écouler par trois ouvertures relativement étroites, il faut surveiller attentivement les blocages. Généralement, ceux-ci sont causés par les graines plus grosses ou par des corps étrangers. C'est pourquoi je n'utilise que les petites graines de mil et de millet dans mes trémies. On peut mettre dans une trémie un mélange de graines du commerce contenant des graines de tournesol, mais il faut alors la surveiller plus attentivement. L'humidité est aussi très souvent à l'origine du blocage d'une trémie. Il est étonnant de voir à quel point certaines graines gonflent à l'humidité. En soulevant le fond de la bouteille, le bloc d'écartement du modèle proposé ici permet d'éviter partiellement ce problème. Normalement, les oiseaux mangent suffisamment de graines pour assurer un débit suffisant, mais il est recommandé de porter une attention spéciale aux trémies lorsque le temps est humide. Un été j'ai oublié de surveiller une trémie pendant plusieurs jours. En cette saison, elle était peu fréquentée et je ne m'étonnais pas de ce que son niveau baisse lentement. Lorsque je suis allé y voir de plus près, j'ai constaté que les graines avaient gonflé et que certaines commençaient même à germer. J'ai dû procéder à un nettoyage en règle. Suivez mon conseil : surveillez vos trémies fréquemment.

Mangeoire-girouette

Ce type de mangeoire — ou l'une de ses nombreuses variantes — est en usage depuis plusieurs années chez les ornithologues amateurs. Étant donné qu'elle pivote pour tourner le dos au vent, elle offre une protection additionnelle aux oiseaux. En hiver, de nombreux oiseaux iront s'y abriter, même s'ils n'y trouvent rien à manger. C'est en outre une mangeoire versatile, qui permet de servir tous les types d'aliments.

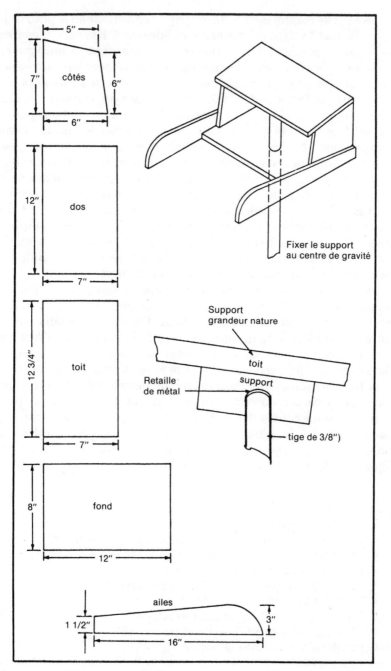

Fig. 6-15 Mangeoire-girouette

103

Avant de commencer le découpage, regardez bien le plan de la figure 6-15 et la liste de matériaux ci-dessous. Ensuite, mesurez, découpez et poncez les sept pièces qui formeront la mangeoire. L'assemblage commence en plaçant le fond debout sur l'un de ses longs côtés et en y posant le dos. Assurez-vous que les deux pièces affleurent parfaitement. Collez, puis clouez ou vissez le dos au fond de la mangeoire. Placez ensuite l'assemblage debout pour y ajuster l'un des côtés. Fixez en place et procédez de la même manière pour l'autre côté. Il ne manque plus que le toit pour former la mangeoire en tant que telle. Placez-le de manière à ce qu'il surplombe les côtés et qu'il affleure à la surface du dos de la mangeoire. Collez, puis clouez ou vissez le toit au dos et aux côtés.

Placez l'une des ailes sur un côté en faisant affleurer leurs bordures inférieures et arrière. Percez deux trous à travers l'aile et le côté afin de les fixer solidement l'un à l'autre avec des boulons, des écrous et des rondelles. Fixez l'autre aile de la même manière. La structure de la mangeoire est alors complétée.

Pour que la mangeoire pivote au gré du vent, il faut que son support soit fixé le plus près possible de son centre de gravité. Pour trouver ce point, placez le bout d'une tige en bois contre l'intérieur du toit de la mangeoire. Déplacez la tige jusqu'à ce que vous puissiez y faire tenir la mangeoire en équilibre. Marquez alors ce point, qui correspondra approximativement au centre de gravité de la mangeoire. Pour marquer l'emplacement du trou que vous devrez percer à travers le fond de la mangeoire, fixez un petit fil à plomb au centre de gravité marqué sur l'intérieur du toit. Laissez pendre le plomb le plus près possible du fond de la mangeoire en vous assurant que celle-ci est bien de niveau. Marquez l'emplacement du trou et percez-le. Ne percez pas une ouverture

---

- contre-plaqué de 3/8″ ;
- retaille de bois de 3/4″ d'épaisseur (pour le support) ;
- clous à finir ou petites vis de 3/4″ ou 1″ (au moins 30) ;
- tige en bois de 3/8″, longue de 2′ ;
- retaille de métal (d'une boîte de conserve) ;
- 4 boulons de 1″ avec rondelles et écrous ;
- 2 vis à bois de 1″ (pour fixer le support) ;
- colle ou autre produit adhésif (facultatif) ;
- peinture, teinture ou vernis (au goût).

Fig. 6-16 Matériaux requis

trop juste, sinon la mangeoire ne pivotera pas bien, surtout lorsque le bois sera gonflé par l'humidité.

Avant de percer le trou dans le support, notez que celui-ci sera fixé contre l'intérieur du toit et qu'il sera incliné par rapport au fond de la mangeoire. Si vous y percez un trou à angle droit, la tige de bois ne pourra pas y pénétrer. Observez bien le plan pour comprendre l'importance de l'angle de ce trou. Pour tracer l'angle requis, placez le support contre l'extérieur d'un côté en l'appuyant contre le surplomb du toit. Alignez le support dans l'axe du centre de gravité et approchez-en la tige de bois parfaitement verticale. Appuyez la tige contre le support sur une longueur d'environ 1/2″, ce qui correspond approximativement à la profondeur du trou. Lorsque toutes les pièces sont bien alignées, tracez le contour de la tige sur le support.

Percez soigneusement le trou dans le support et découpez une retaille de métal que vous pousserez jusqu'au fond du trou. Cette pièce métallique permettra à la mangeoire de pivoter plus facilement sur la tige de bois. Vous pouvez la découper à même une boîte de conserve et la fixer en place avec une colle époxyde ou du mastic adhésif élastique pour baignoires. Placez le support contre l'intérieur du toit de manière à ce que le trou soit aligné avec le centre de gravité, puis tracez-en le contour. Percez des avant-trous à travers le toit, jusque dans le support. Appliquez de la colle à la surface supérieure du support et vissez-le en place. Avec un couteau, affûtez légèrement la pointe de la tige de bois de 3/8″ et frottez-la avec du savon en barre pour la lubrifier. Glissez ensuite la tige dans les trous et vous constaterez que la mangeoire y pivote très librement.

Couvrez ensuite la mangeoire de peinture, de teinture ou de vernis, puis laissez sécher pendant environ deux semaines. Pour fixer la mangeoire au bout d'un poteau en bois, il suffit de percer au centre du poteau un trou de 3/8″ de diamètre et de plusieurs pouces de profondeur. Il ne vous restera plus qu'à y insérer l'autre extrémité de la tige de bois. Si vous préférez fixer la mangeoire au bout d'un tuyau métallique, utilisez une retaille de 2 par 4 ou de 4 par 4, dans laquelle vous percerez un trou s'adaptant au diamètre du tuyau et, sur la face opposée, un autre trou de 3/8″ pour y glisser la tige de bois.

Bûche transformée en mangeoire

La mangeoire illustrée à la figure 6-17 permet de servir aux oiseaux du lard ou du beurre d'arachide d'une manière très jolie. Elle est très facile à fabriquer et compte de nombreux adeptes parmi les ornithologues amateurs.

Pour réaliser cette mangeoire, il faut d'abord trouver une bûche relativement droite ayant de 4″ à 6″ de diamètre. Une branche de bois mort ou une bûche pour le foyer peuvent très bien faire l'affaire. Coupez-en les rameaux secondaires et enlevez-en l'écorce lâche. Coupez les deux extrémités de la bûche bien droites. Avec une mèche à bois, percez des trous autour de la bûche. Il existe des mèches à bois de différents diamètres et certaines peuvent être réglées jusqu'à 2″ de diamètre. À défaut d'une mèche

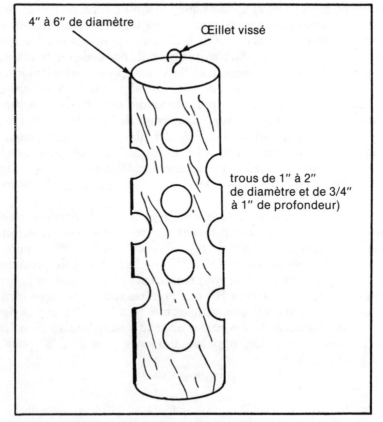

Fig. 6-17 Bûche transformée en mangeoire

106

à bois, utilisez un ciseau à bois bien affûté pour tailler des trous carrés. Selon le diamètre de la bûche, la profondeur des trous devrait varier entre 3/4″ et 1″. Ne percez pas les trous directement les uns face aux autres, car cela risquerait d'affaiblir la bûche. Répartissez-les plutôt au hasard autour de la bûche.

Ensuite, percez un avant-trou le plus près possible du centre de l'extrémité supérieure de la bûche. Le diamètre de l'avant-trou devrait correspondre à la moitié du diamètre des filets de l'œillet vissé. Pour que la bûche reste bien suspendue à la verticale, l'œillet doit être centré le mieux possible. Vous êtes maintenant prêt à garnir les trous de votre bûche avec du lard fondu, du beurre d'arachide ou de la pâtée pour oiseaux. Vous trouverez des recettes de pâtées au chapitre 8. Il ne vous reste alors plus qu'à suspendre la mangeoire. Comme vous devrez la détacher fréquemment pour la garnir, suspendez la mangeoire avec un crochet de sûreté semblable à ceux qu'on fixe à la laisse d'un chien. Ce type de crochet s'ouvre facilement, mais il ne risque pas de se détacher au vent.

Mangeoire pour le lard

La mangeoire illustrée à la figure 6-18 est facile à fabriquer et peut contenir une bonne quantité de lard. Comme on le constate en lisant la liste de la figure 6-19, cette mangeoire est composée de matériaux robustes qui la rendent beaucoup plus durable qu'un simple sac. Une mangeoire distincte pour le lard permettra de nourrir certains oiseaux trop timides pour fréquenter les autres mangeoires trop populaires. Ce type de mangeoire séduira parti-culièrement les espèces qui aiment fréquenter les arbres — comme les pics et les mésanges —, d'autant plus qu'on peut la fixer contre le tronc d'un arbre.

Pour réaliser cette mangeoire, il suffit de mesurer huit pièces, de les découper et de les poncer. Découpez le grillage métallique et repliez ses côtés à angle droit sur une largeur de 1/2″. Après le pliage, le grillage devrait mesurer 5″ par 5″.

Placez l'un des côtés de la mangeoire à plat et agrafez-y, sur la face intérieure, le repli d'un côté du grillage métallique. Placez le grillage pour qu'il affleure à l'avant des côtés et de manière à laisser une ouverture de 3/4″ de hauteur à la base. Agrafez ensuite le grillage à l'autre côté de la mangeoire. Cette étape franchie, les deux côtés de la mangeoire devraient être attachés ensemble par le grillage métallique. Placez le fond entre les côtés en faisant

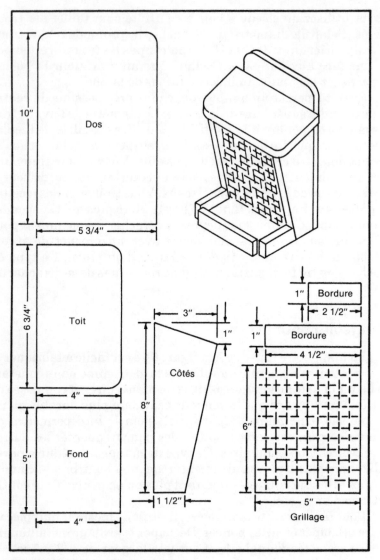

Fig. 6-18 Mangeoire pour le lard

affleurer les pièces à l'arrière. Collez et clouez en place. Fixez ensuite le dos de la mangeoire aux côtés et au fond. Assurez-vous que le dos dépasse bien les côtés au sommet. Placez ensuite les trois bordures en laissant une ouverture à chaque coin pour favoriser l'égouttement de l'eau. Collez et clouez en place. Fixez

108

- contre-plaqué ou planche de cèdre ou de bois traité de 3/8" ;
- 5" par 6" de grillage métallique de 1/2" ;
- colle ou autre produit adhésif ;
- clous à finir ou petites vis de 3/4" ou 1" (au moins 30) ;
- agrafes (au moins 15) ;
- 2 petites charnières ;
- peinture, teinture ou vernis (pour le contre-plaqué).

Fig. 6-19 Matériaux requis

ensuite le toit au dos de la mangeoire avec deux petites charnières. Vous pourrez soulever le toit pour déposer dans la mangeoire des morceaux de lard de toute taille.

Si vous avez utilisé de la planche de cèdre ou de bois traité, vous n'aurez aucun travail de finition à faire. Si la mangeoire est faite de contre-plaqué, protégez-la avec une couche ou deux de peinture, de teinture ou vernis. Pour installer la mangeoire, vous pouvez enfoncer deux clous ou deux vis à travers la partie du dos qui dépasse. Vous pouvez aussi y percer deux trous afin d'attacher la mangeoire au tronc d'un arbre ou à un poteau. On peut également fixer la mangeoire au mur avec une équerre. Quel que soit le mode d'installation, gardez cette mangeoire bien garnie et elle vous attirera de nombreux visiteurs.

Cône pour éloigner les chats et les écureuils

Si des chats ou des écureuils grimpent à vos mangeoires, vous pourrez les décourager avec un cône comme celui illustré à la figure 6-20. Ce dispositif facile à fabriquer se révèle efficace contre les chats et la plupart des écureuils.

Pour fabriquer ce cône, vous n'aurez besoin que d'une feuille de métal mince et de rivets (ou petits boulons et écrous) pour assembler les bordures. Si vous en êtes capable, vous pouvez aussi souder les bordures. Tracez d'abord un demi-cercle de 25" de rayon sur la feuille de métal. Découpez ensuite avec des cisailles et posez à plat sur l'établi. Mesurez ensuite le diamètre du poteau auquel sera fixé le cône pour obtenir le rayon de pliage. À partir du centre du côté droit du demi-cercle, tracez le rayon de pliage avec un crayon feutre. Soustrayez ensuite 1 1/2" de cette mesure pour tracer le rayon de découpage. Avec des cisailles, découpez le métal en feuille le long du rayon de découpage, puis faites entre 10 et 12 entailles équidistantes jusqu'au rayon de pliage. Repliez les bandes formées par les entailles vers le haut. Ces bandes serviront à clouer ou à visser le cône au poteau. Ajustez ensuite le cône autour du poteau en le repliant suffisamment pour que les bordures chevauchent. Vous devrez peut-être faire des entailles plus profondes pour que le cône s'ajuste bien. Un bon ajustement devrait permettre de faire glisser le cône le long du poteau. Cela fait, fixez les bordures qui chevauchent avec des rivets ou des boulons et des écrous. Vous pouvez également souder les bordures, ce qui présente l'avantage de ne laisser aucune prise aux écureuils.

Il ne vous reste plus qu'à décider de la hauteur à laquelle vous fixerez le cône. Placez-le assez haut pour qu'un chat ou un écureuil ne puisse simplement sauter par-dessus. Pour le fixer, il suffit d'enfoncer des clous ou des vis à travers les bandes métalliques du cône.

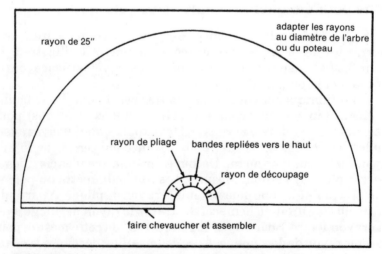

Fig. 6-20 Cône pour éloigner les chats et les écureuils

CHAPITRE 7

Les maisonnettes d'oiseaux

O n estime à environ 50 le nombre d'espèces d'oiseaux qui acceptent de loger dans des maisonnettes. Ces espèces se rencontrent dans toutes les régions, aussi bien en milieu urbain que rural. Peu importe où vous installerez une maisonnette, il se trouvera une espèce d'oiseau pour l'occuper. C'est sans doute la raison pour laquelle les maisonnettes d'oiseaux jouissent d'une telle popularité.

Tout comme celles qui leur donnent à manger, les personnes qui fournissent des abris aux oiseaux sont de plus en plus nombreuses. Leurs activités vont de la simple installation d'une maisonnette pour hirondelles dans leur jardin jusqu'à la création d'un réseau de haltes pour les merles bleus. Les commerçants offrent aux consommateurs une grande variété de maisonnettes préfabriquées ou en kit, surtout depuis que l'industrie du plastique propose des modèles de très bonne qualité. Même s'il faut se réjouir de ce regain de popularité, il entraîne avec lui une grande confusion lorsqu'il s'agit de choisir le type, le nombre et le modèle des maisonnettes qu'on veut installer.

Types de maisonnettes

La règle essentielle à suivre en ce domaine est de choisir un type de maisonnette conçu pour l'espèce d'oiseau que l'on veut attirer. Ne croyez pas les messages publicitaires qui affirment qu'une maisonnette « universelle » pourra attirer n'importe quelle espèce d'oiseau. Des experts ont consacré des années d'étude afin de déterminer les caractéristiques recherchées par les différentes espèces d'oiseaux dans le choix d'un logis : dimensions générales, diamètre de l'ouverture, hauteur de l'ouverture par rapport au plancher, etc.

Pour profiter de ces données techniques, il faut d'abord avoir une idée des espèces d'oiseaux qu'on peut raisonnablement espérer attirer dans son jardin. Si vous y avez déjà installé des mangeoires, elles seront probablement fréquentées par quelques espèces susceptibles d'emménager dans des maisonnettes. Si ce n'est pas le cas, demandez-vous quelles espèces pourront utiliser une maisonnette parmi celles qui fréquentent votre région. À cet effet, vous pourrez demander conseil à d'autres ornithologues amateurs. Lorsqu'on sait à quelle espèce d'oiseau elle est destinée, on a déjà une meilleure idée du type de maisonnette.

Comme je l'écrivais plus haut, les recherches effectuées par les naturalistes ont permis d'établir les exigences des oiseaux en matière de logement. Comme on peut le voir à la lecture des tableaux 7-1 et 7-2, chaque espèce a des besoins bien spécifiques. Avant d'acheter ou de fabriquer une maisonnette, il est donc important de s'assurer que ses caractéristiques correspondent à celles recherchées par l'espèce choisie.

Lorsque vient le moment de choisir une maisonnette, on constate rapidement que le meilleur et le pire se côtoient sur le marché. Certains modèles ont été dessinés par des naturalistes alors que d'autres ne visent qu'à séduire une clientèle peu avertie. Il existe une très grande variété de maisonnettes préfabriquées et l'on en trouve presque partout. Recherchez d'abord les caractéristiques qui correspondent à l'espèce que vous voulez attirer, puis assurez-vous que la maisonnette est faite de matériaux robustes qui résisteront aux intempéries. Vérifiez également si les fixations prévues sont suffisantes pour installer la maisonnette solidement. Observez si le modèle choisi est conçu afin de favoriser l'aération et de faciliter le nettoyage. Si une maisonnette préfabriquée ou en kit répond à ces critères, elle constituera un bon choix pour ceux qui ne veulent pas en fabriquer une.

Même lorsqu'on considère les autres caractéristiques d'une maisonnette, il peut être utile de songer à l'espèce qu'elle accueillera. Par exemple, si on hésite entre une maisonnette avec perchoir et une autre qui n'en a pas, il est bon de savoir que les roselins et les merles n'ont pas besoin d'un perchoir extérieur. Ces deux espèces

Tableau 7-1
Dimensions des maisonnettes d'oiseaux

Espèce d'oiseau	A Dimensions du plancher	B Profondeur de la maisonnette	C Hauteur de l'ouverture par rapport au plancher	D Diamètre de l'ouverture	Hauteur du sol
Merle	5″ par 5″	8″	6″	1 1/2″	5′ à 10′
Mésange	4″ par 4″	8″ à 10″	6″ à 8″	1 1/8″	6′ à 15′
Mésange huppée	4″ par 4″	8″ à 10″	6″ à 8″	1 1/4″	6′ à 15′
Sittelle	4″ par 4″	8″ à 10″	6″ à 8″	1 1/8″	12′ à 20′
Troglodyte familier ou de Bewick	4″ par 4″	6″ à 8″	4″ à 6″	1″ à 1 1/4″	6′ à 10′
Troglodyte de Caroline	4″ par 4″	6″ à 8″	4″ à 6″	1 1/2″	6′ à 10′
Hirondelle bicolore ou à face blanche	5″ par 5″	6″	1″ à 5″	1 1/2″	10′ à 15′
Hirondelle pourprée *	6″ par 6″	6″	1″	2 1/2″	15′ à 20′
Roselin familier	6″ par 6″	6″	4″	2″	8′ à 12′
Étourneau	6″ par 6″	16″ à 18″	14″ à 16″	2″	10′ à 25′
Moucherolle huppé	6″ par 6″	8″ à 10″	6″ à 8″	2″	8′ à 20′
Pic doré ou rosé	7″ par 7″	16″ à 18″	14″ à 16″	2 1/2″	6′ à 20′
Pic à tête rouge	6″ par 6″	12″ à 15″	9″ à 12″	2″	12′ à 20′
Pic mineur	4″ par 4″	8″ à 10″	9″ à 12″	1 1/4″	6′ à 20′
Pic chevelu	6″ par 6″	12″ à 15″	9″ à 12″	1 1/2″	12′ à 20′
Petit duc	8″ par 8″	12″ à 15″	9″ à 12″	3″	10′ à 30′
Petite nyctale	6″ par 6″	10″ à 12″	8″ à 10″	2 1/2″	12′ à 20′
Effraie	10″ par 18″	15″ à 18″	4″	6″	12′ à 18′
Crécerelle américaine	8″ par 8″	12″ à 15″	9″ à 12″	3″	10′ à 30′
Canard huppé	10″ par 18″	10″ à 24″	12″ à 16″	4″	10′ à 20′

* Ces dimensions correspondent à une pièce. Les maisonnettes comptent généralement une ou plusieurs sections de huit pièces chacune.

Tableau 7-2
Dimensions des étagères pour nidifier

Espèce d'oiseau	Dimensions	Profondeur de la boîte	Hauteur du sol
Merle américain	6″ par 8″	8″	6′ à 15′
Hirondelle des granges	6″ par 6″	6″	8′ à 12′
Pinson chanteur	6″ par 6″	6″	1′ à 3′
Moucherolle phébi	6″ par 6″	6″	8′ à 12′

préfèrent se poser directement sur le rebord de l'ouverture. Si vous destinez une maisonnette à perchoir aux roselins, vous risquez d'y accueillir plutôt des moineaux, car ces derniers ont besoin d'un perchoir et sont constamment à la recherche d'un logis. Vos lectures vous apprendront également que les roselins préfèrent les ouvertures ovales ou allongées aux ouvertures rondes. Prenez donc le temps de bien vous documenter sur les préférences des espèces que vous comptez attirer chez vous. Vous pourrez ainsi installer une maisonnette qui correspond exactement à leurs goûts et à vos attentes.

Devis de fabrication

Que vous achetiez une maisonnette ou que vous la fabriquiez, il vous faudra tenir compte de devis de fabrication fondamentaux afin de vous assurer qu'elle sera attrayante, durable et résistante aux intempéries. Après tout, vous voulez que votre maisonnette accueille des oiseaux et qu'elle dure plus d'une saison. Pour vous en assurer, il suffira de porter attention aux matériaux utilisés et à la qualité de la fabrication.

Matériaux

Pour une maisonnette d'oiseaux, le bois est de loin le meilleur matériau. Il est facile à découper, à façonner et à poncer, il ne coûte pas cher et on en trouve partout. De plus, c'est un mauvais conducteur calorifique, donc un isolant naturel qui garde la maisonnette fraîche en été. Imaginez l'intérieur d'une maisonnette en métal ou en plastique pendant la canicule! La chaleur peut y devenir assez intense pour faire mourir les oisillons. En outre, le bois a moins tendance à se briser ou à se déformer que la plupart des matières plastiques. Le bois présente aussi l'avantage de pouvoir être collé ou fixé par des vis ou des clous, alors que les plastiques ne sont généralement pas aussi versatiles. Enfin, le bois est un matériau naturel qui est beaucoup plus familier et attrayant pour les oiseaux. Même si vous ne fabriquez pas vous-même votre maisonnette, je vous conseille d'en choisir une en bois.

Quand on cherche du bois pour construire une maisonnette d'oiseaux, on regarde d'abord autour de l'atelier ou dans le garage. Personne n'aime gaspiller son argent lorsqu'il est possible d'utiliser des retailles de bois. Il suffit de trouver du bois de bonne qualité, même s'il est décoloré par les intempéries. Personnellement, j'aime bien le bois vieilli, car je trouve qu'il a une apparence plus naturelle. Le pin et le cèdre sont deux bonnes essences, mais je leur préfère les planches de cyprès pour clôtures. Le cyprès résiste aussi bien que le cèdre aux intempéries et au pourrissement ; quant aux planches pour clôtures, leurs surfaces non finies conviennent parfaitement à la fabrication de maisonnettes. Une planche de 3/8″ d'épaisseur, de 6″ de largeur et de 6′ de longueur devrait suffire à la construction de la plupart des modèles de maisonnettes. On trouve aussi des planches de 1/4″ d'épaisseur, mais je préfère du bois plus épais afin de pouvoir y enfoncer des vis ou des clous sans craindre de le fendre.

Les surfaces intérieures d'une maisonnette doivent être rugueuses et non finies ; il faut donc prévoir les matériaux en conséquence. La rugosité du bois est importante pour permettre aux oiseaux de s'y agripper afin d'atteindre l'ouverture. Si vous utilisez du bois dont la surface est finie, vous pouvez en rendre les faces intérieures rugueuses avec une perceuse ou une meule. Les planches de cyprès pour clôtures présentent une surface rugueuse idéale. On peut aussi utiliser des planches à gros grains, qui sont sciées le long de l'extérieur des billes et dont les bordures sont encores couvertes d'écorce. Si vous pouvez trouver de telles planches dans un moulin à scie ou une cour à bois, vous tiendrez le matériau idéal pour la fabrication de maisonnettes. En tournant l'écorce vers l'intérieur de la maisonnette, vous offrirez aux oiseaux un environnement parfaitement naturel.

On trouve souvent des retailles de contre-plaqué près de l'établi et ce matériau convient aussi très bien. Il est facile à travailler et il existe en différentes épaisseurs. Le seul ennui, c'est qu'il est parfois difficile de clouer ou de visser dans le chant d'un contre-plaqué mince ; non seulement a-t-on du mal à bien aligner les pièces, mais le placage a aussi tendance à décoller. Lorsqu'il faut clouer ou visser, il est préférable d'utiliser du contre-plaqué assez épais. On doit également éviter d'employer du contre-plaqué d'intérieur pour fabriquer une maisonnette qui sera exposée aux intempéries. La colle de ce type de contre-plaqué ne résiste pas aussi bien à l'eau que celle du contre-plaqué d'extérieur. Si vous en utilisez quand même, appliquez-y au moins deux couches de vernis ou d'un autre bon produit de scellement. Je vous déconseille fortement d'employer des panneaux de fibres ou de particules, car je n'ai jamais réussi à les rendre suffisamment étanches pour qu'ils résistent plus d'un an.

Quincaillerie, adhésifs et fixations

Pour qu'une maisonnette garde sa belle apparence pendant plusieurs années, il ne faut pas que ses pièces de quincaillerie rouillent, que ses produits adhésifs cèdent ou que ses fixations deviennent lâches. Il ne coûte pas beaucoup plus cher d'utiliser des produits de bonne qualité et le résultat en vaut la peine.

Les pièces de quincaillerie d'une maisonnette d'oiseaux se limitent généralement à des charnières, des œillets vissés ou boulonnés, des crochets, des loquets ou des verrous. La plupart des modèles requièrent au moins une ou deux charnières permettant l'ouverture de la maisonnette à des fins de nettoyage. Choisissez des charnières robustes plutôt que les fragiles petites charnières décoratives. Les crochets et autres pièces de suspension ne doivent présenter aucune partie susceptible de rouiller ou de plier sous l'effet d'un vent violent. En général, les pièces de quincaillerie en cuivre ou en laiton résisteront mieux que les autres à la corrosion. Vous trouverez chez votre quincaillier une grande variété de pièces ainsi que de précieux conseils.

Depuis quelques années, on ne compte plus les nouveaux produits adhésifs qui font leur apparition sur le marché. Il existe aujourd'hui des super-colles, des colles époxydes à deux composantes et des mastics adhésifs au silicone qui font des travaux d'assemblage un jeu d'enfant. La colle blanche à bois convient toujours aux travaux de menuiserie, surtout lorsque les pièces sont vissées ou collées, mais il peut être utile de mieux connaître les produits adhésifs plus modernes.

Les super-colles instantanées sont utiles pour lier temporairement deux pièces ou pour assembler un joint très serré. Ce type de colle est aussi liquide que de l'eau et ne peut être utilisé pour combler des joints ouverts. À moins que les deux pièces ne s'appuient parfaitement l'une sur l'autre, cette colle ne parviendra pas à les assembler. Pour combler un joint ouvert, il y a cependant un truc. Remplissez le joint avec du bicarbonate de soude, puis versez-y un peu de super-colle. Il se produira une réaction chimique instantanée et le bicarbonate de soude deviendra aussi dur que du béton, bouchant ainsi le joint. Les colles de ce type sont parfaitement étanches et peuvent résister aux intempéries pendant des années. Elles sont toutefois relativement coûteuses. Cependant, en utilisant la technique du bicarbonate de soude, on peut assembler une maisonnette en un rien de temps, sans clou, sans vis et sans attendre que la colle sèche.

Les colles époxydes à deux composantes sont aussi très efficaces. Certaines sèchent rapidement, en 6 à 10 minutes, tandis que d'autres peuvent mettre jusqu'à trois heures pour durcir. Les colles époxydes sont des adhésifs puissants et versatiles. Avec une colle à séchage rapide, on peut assembler un joint, le maintenir en place avec les mains pendant quatre ou cinq minutes, puis passer au suivant. Tout comme les super-colles, les colles époxydes permettent d'assembler une maisonnette d'oiseaux en un rien de temps. Leur principal défaut est leur coût, bien qu'il soit moindre que celui des super-colles. Très souvent, il suffit cependant de les essayer pour les adopter. Les colles époxydes sont parfaitement hydrofuges et résisteront pendant plusieurs années.

Pour conclure ce sujet, je voudrais vous faire part des expériences concluantes que j'ai faites avec du mastic adhésif élastique pour baignoires. Ce produit est assez épais pour combler les joints ouverts, il prend en quelques heures et durcit complètement en une nuit. Il est en outre moins coûteux que les colles époxydes. À cause de son séchage relativement lent, on doit utiliser des serre-joints ou toute autre technique pour maintenir l'assemblage en place. Ce produit reste élastique pendant des années, ce qui permet aux joints de s'adapter à la dilatation ou au rétrécissement du bois sous l'effet des variations de température. De plus, il n'est pas toxique pour les oiseaux et autres animaux. J'ai assemblé deux maisonnettes en utilisant ce produit et je me réjouis de constater qu'elles tiennent encore après deux années complètes passées à l'extérieur.

La plupart des gens sont plus familiers avec l'usage de vis ou de clous pour assembler du bois. Un joint vissé ou cloué donne une impression de plus grande solidité. Si vous utilisez de telles fixations, vous constaterez que les clous galvanisés et les vis en laiton compensent par leur durabilité leur coût légèrement supérieur. Votre maisonnette aura plus belle apparence si les têtes des vis ou des clous ne rouillent pas au bout de quelques mois. Il est également très important de choisir des fixations du bon calibre. Des clous trop courts ou trop minces finiront par céder sous l'effet saisonnier des contractions et du gonflement du bois. À l'inverse, l'emploi de clous trop gros provoquera le fendillement des pièces de bois. Je choisis généralement des clous dont la longueur est égale au double de l'épaisseur du bois que j'utilise. Par exemple, pour assembler des planches en cyprès de 3/8″ d'épaisseur, j'utilise des clous de 3/4″. Il s'agit toutefois d'une règle générale ; en réalité, plusieurs dimensions de clous peuvent faire l'affaire.

Avec les vis, c'est la même chose. Elles doivent être asez grosses pour maintenir solidement le bois en place, mais assez petites pour ne pas le fendre. Avant d'enfoncer une vis, percez toujours un avant-trou dont le diamètre sera légèrement plus petit que celui de la vis. Cela simplifiera l'alignement des pièces, facilitera le vissage et réduira les risques de fendillement du bois. En général, je préfère les vis aux clous, car elles ont moins tendance à se relâcher avec le temps. De plus, si cela se produit, on peut toujours les visser à nouveau.

Détails de fabrication

Quel que soit le type de maisonnette choisi, certains détails de fabrication en feront un logis confortable pour les oiseaux. Évidemment, la maisonnette doit être solide et étanche, mais il y a aussi d'autres considérations importantes.

On ne doit jamais négliger l'aération d'une maisonnette d'oiseaux. Les oisillons laissés toute une journée dans une maisonnette exposée au soleil peuvent mourir de chaleur. Même le bois le plus épais ne suffira pas à garder la maisonnette fraîche si elle n'est pas adéquatement aérée. Étudiez bien la maisonnette que vous avez choisie ou son plan. Elle devrait comporter des trous d'aération au sommet des murs, sous l'avant-toit afin que la pluie n'y entre pas. Si ce n'est pas le cas, percez des trous de 3/8″ de diamètre tout autour de la maisonnette. Pour éviter la pénétration de l'eau, on peut percer ces trous à un angle penché vers l'extérieur. Bien que les trous d'aération soient importants pour toutes les maisonnettes, ils ont une importance capitale pour les maisonnettes en plastique, car celles-ci ont tendance à se réchauffer plus rapidement que celles construites en bois.

Aussi étonnant que cela puisse paraître, les oisillons courent aussi de grands risques de noyade. Pendant une forte averse, de grandes quantités d'eau peuvent pénétrer dans la maisonnette. Si le plancher n'est pas muni de trous d'égouttement, l'accumulation d'eau nuira au confort des locataires. Vérifiez donc si le plancher de votre maisonnette comporte des trous d'égouttement. Si ce n'est pas le cas, percez-y quelques trous de 1/4″ de diamètre. Comme ces trous ont tendance à être bloqués par l'accumulation de débris ou de matériaux de nidification, il est bon d'en prévoir plusieurs. En plus de réduire le taux d'humidité à l'intérieur de la maisonnette, les trous d'égouttement ont aussi pour effet d'en favoriser une meileure aération.

L'autre détail de fabrication à considérer est le mode d'ouverture de la maisonnette en vue de son nettoyage. On a souvent tendance à négliger ce détail. Si vous voulez installer votre maisonnette pendant plus d'une saison, il vous faudra la nettoyer. Il est donc important d'avoir accès à l'intérieur pour y procéder à un bon brossage. La plupart des maisonnettes qu'on fabrique soi-même sont munies d'un toit ou d'un plancher à charnières. Ces deux modes d'ouverture sont excellents, car ils donnent accès à tous les recoins de la maisonnette. Cependant, de très nombreuses maisonnettes préfabriquées ne s'ouvrent pas du tout pour en faciliter le nettoyage. Malheureusement, on ne peut pas faire grand-chose pour corriger ce défaut. Il vaut mieux acheter une nouvelle maisonnette ou en fabriquer une mieux conçue.

Finition

Après avoir acheté ou assemblé votre maisonnette, vous voudrez lui donner une belle apparence avant de l'installer. Malheureusement, ce qui est joli aux yeux des hommes n'est pas nécessairement attrayant pour les oiseaux. Même si vous êtes séduit par une maisonnette jaune vif avec des persiennes vertes, n'oubliez pas que son but premier est d'accueillir des oiseaux et qu'elle devrait mieux imiter un site de nidification naturel.

Du point de vue des oiseaux, la maisonnette la plus attrayante a un aspect rustique et des couleurs sombres : le brun, le gris ou le vert foncé. Même si plusieurs espèces d'oiseaux sont assez familières avec l'environnement humain pour s'établir dans n'importe quelle maisonnette, il reste que les couleurs vives et les finis brillants présentent moins d'attraits pour eux.

Lorsque je fabrique une maisonnette avec du cyprès ou une autres essence résistant bien aux intempéries, je ne la couvre habituellement pas de peinture ou de teinture. Je la laisse plutôt se décolorer naturellement sous l'effet des éléments. Si vous n'aimez pas la couleur naturelle du bois utilisé, vous voudrez sans doute y appliquer une ou deux couches de teinture. Vous conserverez ainsi la texture du bois et vous obtiendrez une couleur naturelle. Les vernis permettent de mieux protéger les maisonnettes exposées à un climat hostile ou fabriquées avec un matériau peu résistant, comme le contre-plaqué. La peinture aussi améliore la durabilité, mais il faudrait éviter les couleurs trop vives. En général, le blanc n'est pas recommandé pour les maisonnettes d'oiseaux — sauf pour les hirondelles pourprées.

Si vous appliquez de la teinture, de la peinture ou du vernis sur votre maisonnette, ne l'installez pas avant deux ou trois semaines. Ce délai est nécessaire pour que toutes les émanations se dissipent. En installant une maisonnette trop vite après l'avoir peinte, on risque d'éloigner les oiseaux ou de nuire à la santé des oisillons. En fabriquant votre maisonnette à l'avance, vous pourrez la suspendre à l'extérieur dès la fin de l'hiver. Ainsi, les émanations auront le temps de se dissiper, la maisonnette prendra une couleur et une odeur plus naturelles, et les oiseaux s'habitueront à sa présence. Le même conseil s'applique au nettoyage des maisonnettes déjà installées. Faites-en l'entretien à l'automne et suspendez-les à nouveau au cours de l'hiver. Elles auront le temps de perdre leur aspect neuf avant que les oiseaux soient prêts à s'y établir.

Emplacement et installation

Si vous prenez le temps de choisir une maisonnette et de l'installer dans votre jardin, vous tiendrez certainement à ce que des oiseaux l'utilisent. Il est toujours très décevant de constater qu'une maisonnette reste vide jour après jour. Tout le monde a connu cela. Parfois, le modèle de maisonnette idéal restera inoccupé pendant des années, même si la région abonde en oiseaux. Il suffit parfois de changer la maisonnette d'emplacement ou de modifier son installation pour qu'elle devienne populaire. C'est pourquoi il importe de bien réfléchir à l'emplacement et à l'installation d'une maisonnette.

Emplacement

Pour le choix d'un emplacement, le secret consiste à trouver un endroit qui se rapproche le plus d'un site de nidification naturel. Consultez les tableaux présentés au début de ce chapitre pour connaître la hauteur à laquelle il faut installer la maisonnette. Vos recherches vous permettront ensuite d'apprendre si l'espèce d'oiseau recherchée préfère les espaces libres ou les feuillages denses. Comme les oiseaux y nicheront au printemps et en été, tenez compte du climat et demandez-vous si la maisonnette ne risque pas de devenir trop chaude en plein soleil. Si c'est le cas, installez-la plutôt à un endroit semi-ombragé. Seules les hirondelles pourprées apprécieront une maisonnette installée en plein soleil. Pour les autres espèces, la maisonnette devrait profiter de périodes d'ombre.

Il s'agit donc de trouver un emplacement naturel qui assure le confort des futurs locataires. Les oiseaux doivent également s'y sentir en sécurité. Les maisonnettes destinées à des espèces craintives devraient être installées plus à l'écart de la maison. Si les chats sont nombreux dans le voisinage, choisissez un emplacement relativement à découvert. Ainsi, vos protégés risqueront moins de tomber dans une embuscade.

Les oiseaux sont jaloux de leur territoire de nidification et ils le protégeront avec férocité. À moins d'avoir un très grand terrain, il faut donc éviter d'installer plus d'une maisonnette destinée à une même espèce. Même si elles accueillent des espèces différentes, les maisonnettes devraient se trouver à au moins 30' l'une de l'autre et à des hauteurs différentes d'au moins 6' à 10'. Cela permettra de maintenir l'harmonie. J'accueille des moqueurs dans mon jardin depuis plusieurs années et ils peuvent parfois devenir très bruyants et très querelleurs.

Installation

Une fois l'emplacement choisi, il ne reste plus qu'à installer la maisonnette. Vérifiez si le mode d'installation suggéré par le plan est un gage de solidité et assurez-vous de bien le comprendre. En cas de doute, consultez le plan de la figure 7-1 ou les modes d'installation des mangeoires présentés au chapitre précédent. Vous pourrez adapter l'une de ces techniques d'installation à vos besoins spécifiques. Ces conseils s'appliquent surtout à l'installation d'une maisonnette préfabriquée dont le mode d'installation paraît trop fragile.

Le dos des maisonnettes conçues pour être installées contre un arbre, un mur ou une clôture présente généralement une saillie en permettant la fixation. Si ce n'est pas le cas de votre maisonnette, il est préférable de la modifier. Il peut être difficile d'enfoncer des vis par l'intérieur à travers le dos de la maisonnette. Quant à y percer des trous pour suspendre la maisonnette à des clous, ce n'est pas un gage de grande solidité. Il est plus simple et plus efficace de découper un support en bois mince d'environ 4" plus large que le dos de la maisonnette. Il vous suffira ensuite de le visser en le centrant au dos de la maisonnette. Comme le montre la figure 7-1, le support dépasse le dos de la maisonnette de 2" de part et d'autre. Il suffit de percer un trou dans chacune de ces saillies pour ensuite visser le support à un mur. Si la maisonnette doit être fixée à un arbre, on peut percer des trous plus grands

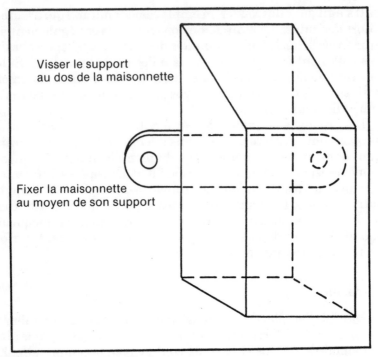

Visser le support
au dos de la maisonnette

Fixer la maisonnette
au moyen de son support

Fig. 7-1 Support pour maisonnette

dans le support afin d'y insérer une corde qui permettra de l'attacher sans endommager l'arbre. Un tel support permet également de surélever ou de surbaisser une maisonnette par rapport à la structure à laquelle elle est fixée. On peut également utiliser de grandes équerres pour fixer une maisonnette contre une surface verticale.

Si la maisonnette doit être fixée au bout d'un poteau, je recommande le même mode d'installation que celui décrit précédemment pour les mangeoires. Utilisez une bride à tuyau ou des équerres en consultant à nouveau le chapitre 6. Comme dans le cas des mangeoires, je préfère les tuyaux métalliques aux poteaux en bois, car les chats et les écureuils ont plus de mal à y grimper. Si vous utilisez un poteau en bois, vous trouverez également au chapitre 6 le plan d'un cône métallique permettant d'éloigner les chats et les écureuils.

Qu'il s'agisse d'un tuyau ou d'un poteau en bois, il faut consulter les tableaux présentés au début de ce chapitre pour installer la maisonnette à la bonne hauteur. Afin d'éviter tout problème avec les chats et les écureuils, je recommande de choisir la hauteur la plus élevée. Assurez-vous également de pouvoir atteindre la maisonnette pour en faire le nettoyage et l'entretien saisonnier.

Les maisonnettes pour hirondelles pourprées présentent un problème particulier car elles doivent être installées très haut. La plupart de ces maisonnettes sont installées à une hauteur inaccessible aux échelles normales ; il faut donc pouvoir les abaisser pour les nettoyer ou les réparer. La figure 7-2 montre un mode d'installation très pratique. Comme on peut le voir, le tuyau est inséré fermement dans une pièce en bois qui pivote entre deux autres pièces en bois coulées dans le béton. L'assemblage est assuré par des boulons et des écrous. Pour abaisser la maisonnette, il suffit de retirer le boulon du haut pour que la pièce de bois du centre pivote sur l'autre boulon. La maisonnette peut être fixée au bout du tuyau au moyen d'une bride. Quel que soit le mode d'installation choisi, il faut se rappeler que la maisonnette sera exposée à de forts vents et qu'elle peut causer des dommages ou des blessures en tombant.

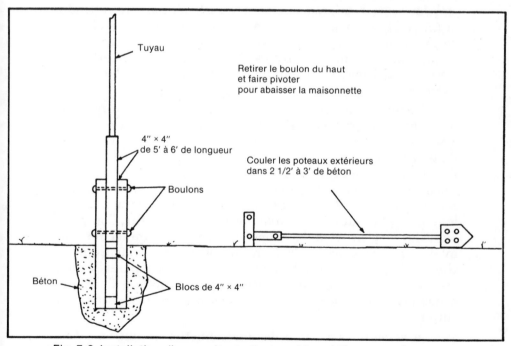

Fig. 7-2 Installation d'une maisonnette pour hirondelles pourprées

Nettoyage et entretien

Pour rester attrayantes, les maisonnettes d'oiseaux exigent un minimum d'entretien. J'aime y voir là le signe qu'elles sont utilisées. Après tout, si aucun oiseau n'y venait, il ne serait pas nécessaire de les nettoyer ou de les réparer. Ces travaux d'entretien ne représentent que quelques heures par année, ce qui n'est rien en comparaison aux heures de plaisirs qu'apportent les oiseaux dans un jardin.

Après chaque saison, il faut nettoyer les maisonnettes de tout débris ou matériau de nidification. En laissant ces déchets à l'intérieur de la maisonnette, on favorise la venue de parasites et on en fait un logement peu accueillant. La plupart des gens enlèvent les maisonnettes dès la fin de la saison de nidification, les nettoient à fond, puis les rangent jusqu'à la fin de l'hiver ou les remettent en place immédiatement. Dans ce dernier cas, il leur faudra décider s'ils acceptent que des oiseaux viennent s'y abriter pendant la saison froide. Si les maisonnettes restent ouvertes, il faudra les nettoyer à nouveau avant la saison de nidification. Pour fermer une maisonnette, il suffit d'en boucher l'ouverture jusqu'au début du printemps. Une autre méthode consiste à attendre la fin de l'hiver pour procéder au nettoyage. Ainsi, les oiseaux disposent d'un abri pour l'hiver et il n'est pas nécessaire de nettoyer la maisonnette deux fois. Peu importe la méthode choisie, il est essentiel que les maisonnettes soient parfaitement propres à l'arrivée du printemps.

Si la maisonnette est bien conçue, les travaux de nettoyage ne poseront aucun problème. Il suffira d'ouvrir le toit ou le plancher, d'enlever tous les matériaux de nidification, puis de bien frotter l'intérieur avec une brosse métallique. Pour terminer, brossez l'intérieur avec de l'eau chaude savonneuse, puis laissez sécher au soleil pendant plusieurs jours avant de refermer la maisonnette. À moins de trouver des parasites dans les matériaux de nidification, le nettoyage à l'eau chaude savonneuse devrait suffire. Contre les parasites, on pourra terminer l'opération en saupoudrant l'intérieur avec un produit insecticide. Dans un tel cas, il est important de choisir un produit spécialement conçu contre les parasites des oiseaux. On devra ensuite laisser la maisonnette à l'air libre pendant plusieurs semaines avant de permettre aux oiseaux d'y entrer.

En général, l'entretien des maisonnettes se fait en même temps que leur nettoyage saisonnier. On en profite alors pour s'assurer que les trous d'égouttement du plancher ne sont pas obstrués. Dans le cas contraire, on y passera une mèche ou un clou. On vérifiera également l'état des joints collés, des clous, des vis, des charnières et autres pièces de quincaillerie, et l'on procédera aux réparations nécessaires. On doit apporter une attention spéciale à la fixation de la maisonnette, car elle a été exposée au vent pendant toute une année.

À l'occasion, il peut devenir nécessaire de faire des réparations spéciales. Si des planches sont gauchies, rendant ainsi la maisonnette peu attrayante ou moins étanche, on peut les remplacer sans devoir reconstruire la maisonnette au complet. Personnellement, je préfère combler les joints avec du mastic adhésif élastique sans me soucier de l'esthétique de la maisonnette. Il arrive aussi que les oiseaux ou les écureuils finissent par agrandir les ouvertures des maisonnettes. On peut alors fixer une plaque en bois mince ou en métal munie d'une ouverture appropriée par-dessus l'ouverture existante. Une de mes vieilles maisonnettes a été ainsi recouverte à trois reprises ; sa façade est aujourd'hui plutôt épaisse, mais elle continue à attirer les oiseaux. Vous voudrez peut-être également appliquer de temps à autre une nouvelle couche de peinture. Pour tous ces travaux, suivez les conseils donnés dans la section sur la fabrication.

Les visiteurs indésirables

Deux catégories de visiteurs indésirables tenteront d'occuper vos maisonnettes : les locataires hivernaux et les espèces d'oiseaux que vous préféreriez voir nicher ailleurs. Il peut être très difficile de se débarrasser de ces visiteurs. J'ai même vu des amateurs abandonner la bataille en leur laissant la maisonnette.

Pour plusieurs ornithologues, les locataires hivernaux ne sont pas vraiment des visiteurs indésirables. Ils acceptent que leurs maisonnettes servent d'abris pour l'hiver et s'attendent à en subir les conséquences en termes de travaux d'entretien. Par une nuit très froide, les oiseaux s'entasseront littéralement dans une maisonnette jusqu'à ce qu'il n'y ait plus la moindre place. Un matin d'hiver, j'ai pu observer quatre pinsons sortir d'une petite maisonnette. En temps normal, ils n'auraient pas supporté une telle affluence et se seraient querellés. Cependant, en hiver, il semble que l'instinct de survie prenne le dessus. Les écureuils aiment aussi hiverner dans une maisonnette d'oiseaux qui leur rappelle leur logis naturel.

Le fait de permettre l'utilisation des maisonnettes pendant l'hiver ne pose pas uniquement des problèmes évidents d'entretien. Les locataires hivernaux — surtout les écureuils — auront tendance à agrandir les ouvertures pour rendre l'accès plus facile. Comme on l'a vu plus tôt, le diamètre de l'ouverture est une caractéristique importante pour attirer l'espèce d'oiseau désirée. Des ouvertures plus petites empêchent les espèces plus grosses de venir occuper la maisonnette. Après le passage des locataires hivernaux, il se peut donc que la maisonnette ne corresponde plus aux exigences de l'espèce à laquelle elle est destinée. Il se peut également que ces locataires ne désirent pas déménager au printemps. Vous pourrez chasser un oiseau tenace une douzaine de fois, il reviendra toujours. Lorsque les oiseaux que vous comptiez accueillir se présenteront, la maisonnette sera encore occupée par vos locataires hivernaux.

On peut éviter ce problème en fermant la maisonnette pour l'hiver. Il suffit alors de boucher les ouvertures avec un chiffon, un bouchon, une plaque de bois mince ou du ruban adhésif.

Il est beaucoup plus difficile d'empêcher une espèce non désirée de venir s'installer. Les moineaux et les troglodytes nichent pratiquement n'importe où et ils sont assez agressifs pour chasser d'autres espèces d'une maisonnette. Le meilleur moyen de garder une espèce à l'écart est d'aller à l'encontre de ses exigences. Vous pouvez par exemple installer la maisonnette à une hauteur ou à un emplacement qui ne lui convient pas. Assurez-vous que le diamètre de l'ouverture correspond bien aux exigences de l'espèce désirée. Les moineaux ont besoin d'un perchoir extérieur pour accéder à l'ouverture d'une maisonnette; vous pouvez donc les éviter en utilisant un modèle sans perchoir. Tous ces moyens donnent des résultats, mais ils ne règlent pas le problème à cent pour cent. Il arrive très souvent qu'un oiseau importun ignore tous mes efforts et s'établisse dans une maisonnette destinée à une espèce différente. Lorsque les œufs sont pondus, j'abandonne la lutte et je souhaite avoir plus de succès l'année suivante.

Maisonnette fabriquée autour d'une boîte en carton

Pour un bricoleur débutant, il peut être difficile d'assembler une boîte dont les côtés se rencontrent à angle droit. Même en mesurant et en découpant chaque pièce avec soin, il suffit d'une petite erreur pour se retrouver avec une boîte bancale sur laquelle il est impossible d'ajuster le toit ou le plancher. En utilisant une boîte en carton comme guide, on augmente considérablement ses chances de réussite. La boîte facilite l'assemblage des murs en les maintenant toujours à angle droit. Il suffit ensuite de la retirer pour continuer l'assemblage.

Pour fabriquer une maisonnette autour d'une boîte en carton, il suffit de peu de matériaux. Vous aurez d'abord besoin d'une boîte en carton rigide de dimensions appropriées. Évitez les boîtes en carton mince, car leurs côtés auront tendance à plier durant l'assemblage. Choisissez une boîte robuste, conçue pour protéger des objets fragiles. Les meilleures sont faites de carton ondulé d'environ 3/16″ d'épaisseur. Consultez les tableaux présentés au début de ce chapitre pour choisir une boîte dont les dimensions sont appropriées. L'espèce d'oiseau que vous voulez attirer déterminera les dimensions finales de la maisonnette. Vous trouverez sûrement une boîte en carton dont les dimensions correspondent à celles du plancher de la maisonnette. La hauteur de la boîte importe peu, en autant qu'elle est au moins égale à la profondeur de la maisonnette. Pour ce modèle, on doit utiliser du bois mince : du contre-plaqué de 1/4″ ou des planches à clôtures de 3/8″. La quantité exacte de bois dépendra évidemment des dimensions de la maisonnette. Vous aurez également besoin d'un tube de mastic adhésif élastique pour baignoires, de plusieurs élastiques robustes, de quelques clous de 3/4″ à 1″ et de deux clous de 1″ à 1 1/2″.

Consultez d'abord le tableau pour connaître la profondeur de la maisonnette, puis découpez la boîte en carton à la hauteur correspondante. Avec un crayon, marquez les quatre côtés de la boîte en carton de la manière suivante : « devant », « dos », « côté 1 » et « côté 2 ». Posez le « devant » contre une pièce de bois et tracez-en le contour avec soin en appuyant la pointe du crayon contre la boîte en carton. Découpez cette pièce de bois et poncez-en les bordures. Au centre de cette pièce, faites une marque à la hauteur recommandée pour l'ouverture de la maisonnette. En utilisant ensuite cette marque comme centre, tracez un cercle au diamètre requis pour l'ouverture. Avec une perceuse, faites un trou dans l'ouverture, puis découpez-la avec une scie à découper. Posez ensuite le « dos » contre une pièce de bois, tracez-en le contour et découpez-le. Poncez et mettre les deux pièces de côté.

Posez ensuite les « côtés » contre une pièce de bois et tracez-en le contour. En plus de marquer « côté 1 » et « côté 2 » sur ces pièces, marquez-en également le haut et le bas. Il faudra augmenter la longueur des contours des côtés afin que ces pièces recouvrent les bordures du devant et du dos. Pour savoir de combien il faut augmenter la longueur, il suffit de doubler l'épaisseur du bois utilisé. Par exemple, avec du contre-plaqué de 1/4″, on augmentera la longueur des côtés de 1/2″. Assurez-vous bien d'augmenter la longueur des côtés et non leur hauteur. Cela fait, découpez les deux côtés et poncez-les.

Pour le toit et le plancher, marquez le contour du fond de la boîte à deux reprises. Ajoutez ensuite 1″ à trois des côtés du toit afin qu'il surplombe les murs à l'avant et sur les côtés. Découpez le toit et le plancher, puis poncez les deux pièces.

Pour commencer l'assemblage, appliquez un cordon de mastic adhésif sur les chants latéraux du dos de la maisonnette. Appuyez ensuite le dos contre l'arrière de la boîte en carton. Placez les deux côtés contre la boîte de manière à ce qu'ils recouvrent les chants latéraux du dos. Maintenez l'assemblage en place avec des élastiques robustes et laissez sécher toute une nuit.

Lorsque le mastic est sec, vous pouvez enlever la boîte en carton. Il est probable qu'elle sera collée aux coins et que vous devrez la détacher à l'aide d'un couteau bien aiguisé. Découpez d'abord le fond de la boîte, puis détachez en coupant le carton à 1/2″ de part et d'autre de chaque coin. Je laisse un peu de carton dans chaque coin, car les oiseaux le déchiquètent et l'utilisent pour construire leurs nids.

Vous aurez alors une boîte en bois à trois côtés. Appliquez du mastic adhésif sur les bordures latérales et arrière du plancher, puis posez-y la boîte. Cela permettra à l'assemblage de rester bien droit. Retournez la boîte à l'envers et enfoncez quelques clous à travers le plancher jusque dans les côtés.

Ajustez ensuite le devant entre les deux côtés. Faites une marque à mi-hauteur des bordures de chaque côté. C'est là que vous enfoncerez les clous qui permettront de faire pivoter le devant en vue du nettoyage. Après avoir vérifié si les deux marques sont bien face à face, enfoncez un clou à travers chaque côté jusque dans le devant. N'utilisez pas de colle ni d'autres fixations pour assembler le devant.

Il ne reste alors plus qu'à fixer le toit. Appliquez un cordon de mastic adhésif sur les chants supérieurs des côtés et du dos, puis posez-y le toit. Assurez-vous que le toit surplombe bien les côtés et le devant sur une largeur de 1″ et qu'il affleure à la surface du dos. Si le toit surplombe le dos de la maisonnette, il vous sera impossible de l'adosser contre une surface verticale. Lorsque le toit est bien aligné, posez-y un poids et laissez sécher toute une nuit.

Lorsque la structure de base est assemblée et que ses joints sont secs, les travaux de finition n'exigent que peu de temps. Avec un foret de 1/4″ de diamètre, percez plusieurs trous d'aération à travers les côtés, le plus près possible du toit afin d'éviter les infiltrations d'eau. Percez ensuite plusieurs trous d'égouttement à travers le plancher. Faites pivoter le devant et inspectez le joint du toit. Si nécessaire, appliquez encore du mastic adhésif pour combler toute ouverture. Ne vous inquiétez pas si du mastic reste apparent à l'intérieur ; ce produit n'est pas toxique et les oiseaux peuvent le picorer sans danger. Vérifiez également les joints extérieurs et enlevez l'excédent de mastic avec un couteau.

L'étape suivante consiste à protéger le bois contre les intempéries. Si vous avez utilisé du cèdre, du cyprès ou du bois traité, il ne vous sera pas nécessaire de le protéger. Votre maisonnette supportera les intempéries pendant des années. Les autres essences de bois — surtout le contre-plaqué — devront être protégées si l'on veut qu'elles résistent plus d'un an. Si vous n'aimez pas la couleur naturelle du bois, appliquez-y une couche de teinture et au moins deux couches de vernis. Si vous préférez la peinture, choisissez une teinte ocrée. Éviter les couleurs vives qui font fuir les oiseaux habitués à nicher dans un environnement dont les teintes sont brunes et vertes. Si la maisonnette doit être installée au soleil, vous pouvez la peindre en blanc afin qu'elle réfléchisse un peu de chaleur. Pour rendre le bois bien étanche, appliquez-y au moins deux couches de peinture. Vous constaterez que la plupart des mastics adhésifs peuvent être peints ou teints facilement.

Pour installer ce type de maisonnette, vous pouvez tout simplement faire pivoter le devant et visser le dos à un mur ou à un poteau. Pour ne pas endommager un arbre, vous pouvez percer deux trous dans le dos de la maisonnette et y passer une corde robuste qui vous permettra de l'attacher au tronc. On peut également découper un support de 3″ de largeur et dont la longueur dépassera la hauteur de la maisonnette de 6″. Il suffit ensuite de visser le dos de la maisonnette au support en le centrant bien, puis d'utiliser ce dernier pour visser ou attacher la maisonnette en place.

Maisonnette pour sittelle ou mésange

À l'exception du diamètre de l'ouverture et de la hauteur d'installation, ces espèces d'oiseaux ont les mêmes exigences lorsqu'il s'agit de choisir un logement. Vous pourrez donc adapter ce modèle à différentes espèces. Comme on peut le voir au plan qui apparaît à la figure 7-3, il s'agit d'une maisonnette facile à

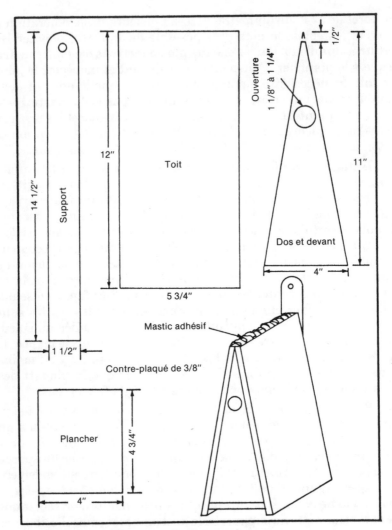

Fig. 7-3 Maisonnette pour sittelle ou mésange

fabriquer, même pour un débutant. Simple et petite, cette maison-nette s'intègre bien au feuillage, ce qui la rend plus attrayante pour les oiseaux que des modèles trop sophistiqués. Même si l'angle du toit donne l'impression que cette maisonnette est difficile à assembler, il n'en est rien. Les angles requis se forment d'eux-mêmes lorsqu'on assemble les pièces.

Rassemblez d'abord les matériaux décrits à la figure 7-4. Tracez ensuite le contour de chaque pièce sur un morceau de

- contre-plaqué de 3/8" ;
- mastic adhésif élastique pour baignoires ;
- clous ou petites vis de 3/4" à 1" (au moins 30) ;
- 2 petites charnières ;
- 2 petits crochets avec œillets ou autres loquets ;
- peinture, teinture ou vernis.

Fig. 7-4 Matériaux requis

contre-plaqué. Faites d'abord le contour du devant et du dos en traçant soigneusement un rectangle de 4" par 22". Tracez ensuite l'axe vertical et l'axe horizontal de ce rectangle. Avec une longue règle, reliez ensuite les coins opposés en vous assurant que les deux diagonales passent par le point de rencontre des deux axes. Vous obtiendrez alors deux triangles mesurant 4" à leur base et 11" de hauteur, c'est-à-dire les dimensions exactes du devant et du dos. Découpez ces deux pièces et mettez-en une de côté. Sur l'autre pièce, faites un trait sur l'axe vertical à 7" de la base pour marquer le centre de l'ouverture. Avec un compas, tracez un cercle de 1 1/4" (mésange huppée) ou de 1 1/8" (sittelles et autres mésanges). À défaut de compas, vous trouverez bien dans la maison une pièce ronde dont le diamètre correspond à celui de l'ouverture. Personnellement, j'utilise le bouchon d'une bouteille d'alcool à friction. Découpez ensuite l'ouverture avec une scie sauteuse ou une scie à découper. En dernier lieu, taillez le sommet du triangle sur 1/2" afin d'obtenir une ouverture d'aération qui sera protégée par le surplomb du toit. Mettez ensuite le devant de côté.

Vous découperez ensuite les deux panneaux du toit. À cause de la saillie du toit à l'avant de la maisonnette, ces deux pièces sont un peu plus larges. Tracez une ligne à 1" de ce qui sera la bordure avant de chaque panneau du toit. Ces marques faciliteront la mise en place du toit au moment de l'assemblage. L'alignement des pièces est important pour que le plancher s'ajuste parfaitement.

Il ne vous reste plus qu'à découper le plancher et le support. Après avoir découpé le plancher, percez-y plusieurs trous d'égouttement de 1/4" de diamètre. Le support sera fixé au dos de la maisonnette de manière à faire saillie au haut et au bas afin de la fixer contre une surface verticale. Lorsque toutes les pièces sont découpées, poncez-les avant de commencer l'assemblage.

Placez le dos de la maisonnette sur sa base et posez-y un panneau du toit. Assurez-vous d'y poser le côté qui n'est pas marqué d'un trait à 1″ de la bordure. Lorsque les deux pièces sont bien alignées, appliquez-y de la colle si désiré, puis enfoncez des clous ou des vis à travers le toit jusque dans le dos. Fixez l'autre panneau du toit de la même manière en tâchant de fermer le joint du faîte le mieux possible. Vous remarquerez que les panneaux du toit dépassent les pièces du dos et du devant à leur base. N'essayez pas d'enfoncer des vis ou des clous trop près du pignon et ne vous en faites pas si le joint du faîte n'est pas parfaitement fermé. Appliquez un cordon de mastic adhésif sur l'intérieur du joint du faîte, puis faites de même par l'extérieur. Procédez avec soin afin d'obtenir un cordon lisse et continu.

Il est facile d'oublier l'étape suivante, car on est généralement pressé d'assembler le devant de la maisonnette. Il faut d'abord fixer le support. Placez le dos de la maisonnette contre le support en le centrant bien, horizontalement et verticalement. Enfoncez des vis ou des clous à travers le dos de la maisonnette jusque dans le support. Fixez-le solidement, car il devra supporter tout le poids de la maisonnette. C'est maintenant le moment d'ajuster le devant. Glissez-le en place en l'alignant sur les marques faites à l'intérieur du toit. Placez la maisonnette sur le côté, appliquez de la colle sur les chants du devant, puis enfoncez des clous ou des vis à travers le toit jusque dans le devant.

Le plancher de cette maisonnette s'appuie simplement contre la base du dos et du devant. Il est fixé par des charnières au dos de la maisonnette. Posez les charnières, fermez bien le plancher et maintenez-le fermé avec un crochet à œillet, un loquet ou un fil de fer attaché à des vis. Prévoyez deux éléments de fermeture afin de réduire le gauchissement du plancher et par mesure de sécurité au cas où l'un d'eux céderait.

Cette maisonnette étant faite de contre-plaqué, il faudra la protéger contre les intempéries. On peut la peindre, la teindre et la vernir, ou simplement la vernir. Quel que soit le produit utilisé, il faudra attendre quelques semaines avant d'installer la maisonnette. Choisissez alors un bon emplacement, à 12′ à 20′ du sol pour les sittelles, ou à 6′ à 15′ du sol pour les mésanges. J'ai eu beaucoup de succès avec de telles maisonnettes attachées aux troncs de grands pins. En plus de ne pas endommager l'écorce des arbres, les maisonnettes attachées sont plus faciles à démonter que les maisonnettes clouées ou vissées.

Maisonnettes pour pic doré ou rosé

Il s'agit ici du plus gros modèle présenté dans ce livre et destiné à un seul oiseau. Les pièces de cette maisonnette sont grandes, ce qui la rend facile à fabriquer. On peut adapter ce plan afin de destiner la maisonnette à n'importe quel pic. Il suffit de consulter le tableau 7-1 et de modifier les dimensions en conséquence.

Observez le plan de la figure 7-5 et rassemblez les matériaux décrits à la figure 7-6. Marquez ensuite le contour de chaque pièce. Mesurez avec soin et utilisez une équerre pour tracer des angles bien droits. Découpez le dos et le devant, puis faites une marque au centre du devant à 14″ de la base. En utilisant cette marque comme centre, tracez un cercle de 2 1/2″ de diamètre pour former le contour de l'ouverture. Percez-y un trou, puis découpez l'ouverture avec une scie à découper. Découpez ensuite les deux côtés, le toit et le plancher. Profitez-en pour percer plusieurs trous d'égouttement de 1/4″ de diamètre dans cette dernière pièce. Poncez ensuite toutes les pièces et mettez-les de côté.

Pour commencer l'assemblage, clouez ou vissez le devant à l'un des côtés. Si vous utilisez de la colle, appliquez-en sur le chant avant d'assembler les pièces. Fixez ensuite le devant à l'autre côté en procédant de la même façon. Vous remarquerez que les côtés sont fixés à l'intérieur du dos et du devant et non à l'extérieur. Faites ensuite reposer la maisonnette sur le devant pour ajuster le dos. Vous remarquerez que le dos affleure à la base des côtés, mais qu'il déborde de 1/2″ de part et d'autre. Clouez ou vissez le dos aux côtés. Vient ensuite l'étape plus difficile de l'ajustement du plancher. À moins que l'assemblage de la maisonnette soit parfaitement carré, vous n'arriverez pas à glisser le plancher entre les murs. Vous devrez donc poncer cette pièce afin de l'ajuster. Ne vous en faites pas pour les joints ouverts ; ils ne feront que favoriser l'égouttement et l'aération. De plus, vous pourrez toujours les combler avec du mastic adhésif. Fixez solidement le plancher et votre maisonnette sera pratiquement achevée.

L'étape suivante consiste à ajuster le toit et à le fixer au dos avec deux charnières. Un toit à charnières présente toujours des risques d'infiltration d'eau, mais on peut contourner le problème en utilisant du mastic adhésif. Ouvrez simplement le toit et appliquez un cordon de mastic le long de la bordure supérieure des murs. Prenez garde de ne pas appliquer de mastic sur les charnières. Couvrez ensuite le mastic d'une bande de cellophane pour l'empê-

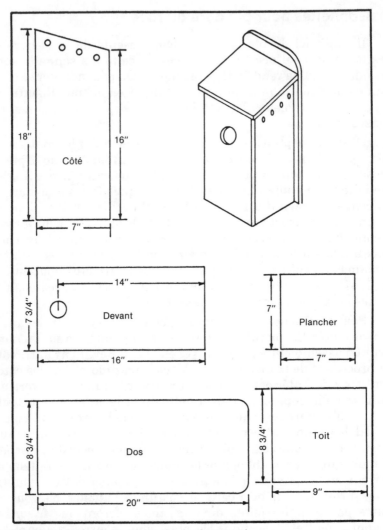

Fig. 7-5 Maisonnette pour pic doré ou rosé

cher de coller au toit. Refermez le toit et gardez-le fermement clos.
Le mastic sera comprimé et formera un véritable joint d'étanchéité.
Laissez sécher, puis ouvrez le toit pour enlever l'excédent de
mastic à l'aide d'un couteau. Fixez des crochets ou des loquets
pour maintenir le toit fermé, puis percez des trous d'aération le
long de la bordure supérieure des côtés. Donnez-leur un angle
incliné vers l'extérieur afin d'empêcher les infiltrations d'eau.

- contre-plaqué de 3/8" ;
- colle (facultatif) ;
- clous à finir ou petites vis de 3/4" ou 1" (au moins 30) ;
- mastic adhésif élastique pour baignoires ;
- 2 crochets à œillets ou autres loquets ;
- peinture, teinture ou vernis au goût.

Fig. 7-6 Matériaux requis

Protégez ensuite le bois avec de la peinture ou de la teinture. N'oubliez pas que les oiseaux préfèrent les maisonnettes dont les teintes se rapprochent de celles de la nature. Installez enfin la maisonnette solidement à une hauteur variant entre 6′ et 20′ du sol.

Cabane de bois rond pour mésange

Cette maisonnette rustique est amusante à fabriquer et représente sans doute le modèle qui se rapproche le plus d'un site de nidification naturel. Comme on peut le voir à la figure 7-7, cette maisonnette exige simplement une bûche, quelques vis à bois et un système de suspension. Il s'agit donc aussi d'un modèle très économique.

Il vous faudra d'abord trouver une bûche convenable. Si vous habitez à la campagne ou dans une banlieue boisée, vous n'aurez aucun mal à trouver une branche morte. Vous pourrez aussi trouver une belle bûche chez un marchand de bois pour foyer. La bûche choisie devrait avoir au moins 6″ de diamètre et 12″ à 15″ de longueur. Elle devrait être relativement droite et exempte de nœuds et de bosses. Enlevez-en les saillies et les morceaux d'écorce lâches avant de commencer le creusage.

Sciez d'abord la bûche en deux le long de son axe vertical. Ce n'est rien de compliqué lorsqu'on utilise une scie à ruban ou une scie radiale. Placez les deux moitiés côte à côte, la face coupée tournée vers le haut. Tracez ensuite le contour du creux qu'il vous faudra creuser (8″ à 10″ de hauteur sur 4 1/2″ de largeur). La meilleure façon de procéder consiste à découper un patron en papier aux dimensions voulues, puis à le poser sur les surfaces coupées pour en tracer le contour. Assurez-vous de bien aligner les marques sur les deux moitiés de la bûche. Il suffit ensuite de creuser. Personnellement, j'utilise un ciseau à bois et un maillet pour évider le rectangle tracé sur une profondeur d'environ 2 1/4″.

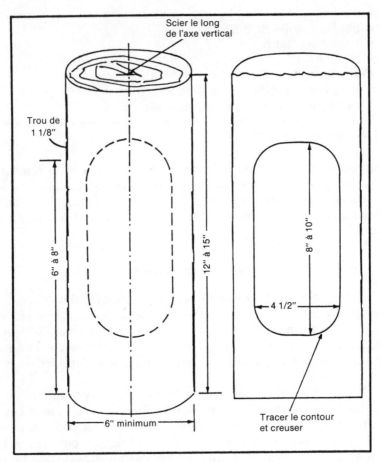

Fig. 7-7 Cabane de bois rond pour mésange

On peut aussi utiliser une meule pour obtenir le même résultat. Une fois le creusage terminé, chaque moitié de bûche devrait comporter un creux demi-cylindrique de 8″ à 10″ de hauteur et de 4 1/2″ de diamètre. Laissez au bois sa texture rugueuse naturelle.

Après avoir réuni les deux moitiés de la bûche, il s'agit de choisir le côté qui deviendra le devant de la maisonnette. À une hauteur variant entre 6″ et 8″ du plancher de la cabane (et non du bas de la bûche), percez-y une ouverture de 1 1/8″ de diamètre. Rassemblez à nouveau les deux moitiés et maintenez-les fermement en place avec plusieurs élastiques robustes. Percez deux avant-trous dans la partie supérieure de la bûche et deux autres dans sa

136

partie inférieure. Les deux moitiés seront assemblées par de longues vis à bois qui en permettront le démontage à des fins de nettoyage.

On peut installer cette cabane de plusieurs façons. On peut simplement l'attacher ou encore la clouer en biais à un arbre ou à un poteau. Cependant, à cause de la surface arrondie de la bûche, ce ne sont pas des méthodes idéales. Si la bûche est assez épaisse, il est préférable d'en découper une partie afin d'obtenir une surface plane qui facilitera son installation. On pourra ensuite la fixer directement à une surface verticale ou utiliser un support tel que décrit précédemment. Si les extrémités de la bûche sont relativement droites, on peut aussi la fixer à l'aide d'équerres. Installez cette cabane à un endroit protégé, à une hauteur variant entre 6′ et 15′ du sol.

Maisonnette pour pic

Le plan illustré à la figure 8 conviendra au pic à tête rouge et au pic chevelu. Il suffira de modifier le diamètre de l'ouverture pour qu'elle corresponde aux exigences de chaque espèce. De plus, en consultant le tableau 7-1, il est relativement simple de modifier les dimensions pour destiner cette maisonnette au pic mineur. À vous d'adapter ce modèle à l'espèce de pics la plus courante dans votre région.

Les matériaux requis pour cette maisonnette sont décrits à la figure 7-9. Après les avoir rassemblés, mesurez chaque pièce avec soin et marquez-en le contour. Faites des angles bien droits afin que les pièces s'adaptent bien. Découpez d'abord le toit, puis poncez-le. Découpez ensuite le plancher et les deux côtés. Profitez-en pour percer les trous d'égouttement dans le plancher et les trous d'aération au sommet des côtés. Inclinez légèrement les trous d'aération vers l'extérieur pour prévenir les infiltrations d'eau. Poncez ensuite ces trois pièces et mettez-les de côté. Découpez ensuite le dos et le devant. Au centre du devant, à 9″ de la base, percez une ouverture de 2″ de diamètre (de 1 1/2″ pour le pic chevelu). Poncez ensuite légèrement avant de commencer l'assemblage.

Placez d'abord un côté sur son chant arrière et appliquez un cordon de mastic le long de son chant avant. Clouez-y ensuite le devant. Procédez de la même façon pour assembler l'autre côté. Faites ensuite reposer l'assemblage sur le devant et appliquez du mastic sur les chants arrière des côtés. Posez-y le dos en le

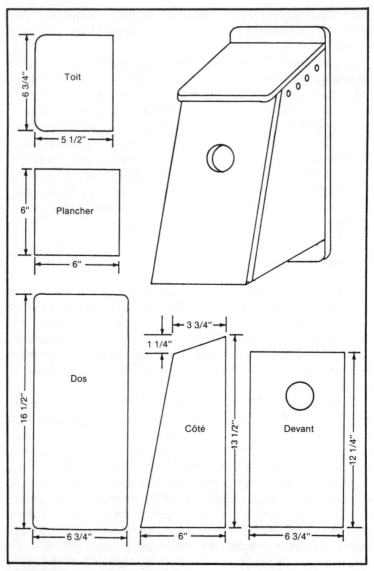

Fig. 7-8 Maisonnette pour pic

centrant et clouez-le aux côtés. Remettez la maisonnette à l'endroit pour fixer le toit. J'assemble habituellement le toit avec du mastic à cause de sa solidité et de son étanchéité.

Il ne reste alors plus qu'à fixer le plancher. Ajustez-le en place en le ponçant si c'est nécessaire. Fixez-le au dos avec des charnières

138

- contre-plaqué de 3/8" ;
- colle (facultatif) ;
- clous à finir ou petites vis de 3/4" ou 1" (au moins 30) ;
- mastic adhésif élastique pour baignoires ;
- 2 loquets ou verrous ;
- peinture, teinture ou vernis au goût.

Fig. 7-9 Matériaux requis

et posez deux loquets sur le chant inférieur du devant afin de pouvoir le maintenir fermé. Poncez toutes les surfaces de la maisonnette avant d'y appliquer une couche de peinture ou de vernis. Laissez sécher pendant quelques semaines et installez à une hauteur variant entre 12' et 20' du sol.

Maisonnette pour huit hirondelles pourprées

Cette maisonnette à logements multiples risque d'être difficile à fabriquer pour un bricoleur débutant. Néanmoins, comme on peut le voir aux figures 7-10, 7-11 et 7-12, son plan a été conçu afin d'en rendre la construction la plus simple possible. La grande qualité de ce modèle est son mur latéral qui s'ouvre complètement pour en faciliter l'entretien. Cela permet d'enlever les cloisons et de bien nettoyer la maisonnette sans avoir à brosser chacune des huit pièces individuellement. Si les hirondelles abondent dans votre région, vous voudrez sûrement installer une telle maisonnette.

Rassemblez d'abord les matériaux énumérés à la figure 7-13, puis tracez le contour des pièces sur le contre-plaqué. Découpez les panneaux du toit, les perchoirs, le plancher et la base. Poncez les bordures de chaque pièce et mettez-les de côté. Découpez ensuite les quatre cloisons de 12" par 5 1/2". Marquez l'axe de chaque cloison, à 6" de chaque côté, sur une hauteur de 2 3/4". Coupez ensuite une fente de 3/8" sur cette longueur. Assemblez ensuite les quatre cloisons pour obtenir deux croix en insérant leurs fentes l'une dans l'autre.

Découpez ensuite les deux côtés et percez les trous d'aération le long de leur bordure supérieure. Découpez le dos et le devant, déterminez l'emplacement des ouvertures, marquez-en le diamètre et découpez-les. Coupez deux tasseaux de 12" à même une longueur de quart-de-rond. Poncez toutes les pièces avant de procéder à l'assemblage.

139

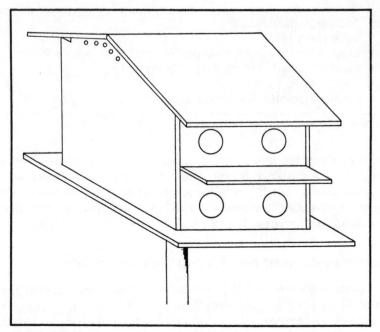

Fig. 7-10 Maisonnette pour huit hirondelles pourprées

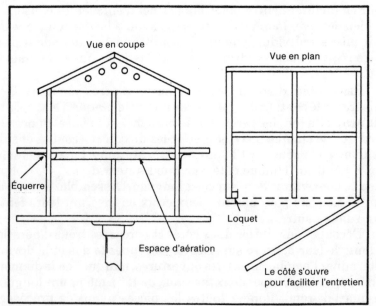

Vue en coupe

Vue en plan

Équerre

Espace d'aération

Loquet

Le côté s'ouvre
pour faciliter l'entretien

Fig. 7-11 Vue en coupe et en plan de la maisonnette pour huit hirondelles

140

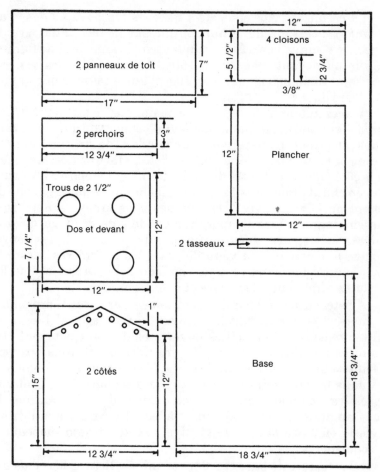

Fig. 7-12 Pièces de la maisonnette pour huit hirondelles

- contre-plaqué de 3/8" ;
- petites vis ou clous à finir de 3/4" ou 1" (au moins 40) ;
- colle (facultatif) ;
- 2' de quart-de-rond ;
- 2 charnières de taille moyenne ;
- 4 équerres métalliques de 2" ;
- loquet ou verrou ;
- bride à tuyau pour fixer la maisonnette ;
- apprêt (facultatif) et peinture blanche.

Fig. 7-13 Matériaux requis

La première étape consiste à fixer les tasseaux au dos et au devant. Tracez une ligne horizontale sur la face intérieure du devant, à 6″ de sa base. Placez un tasseau le long de cette ligne et fixez-le au devant avec de la colle, des clous ou des vis. En procédant de la même manière, fixez l'autre tasseau sur la face intérieure du dos.

Tracez autour de la base un carré dont les côtés sont à 3″ des bords. Ces marques indiqueront l'emplacement du dos, du devant et des côtés, tout en laissant un perchoir de 3″ de largeur autour de la maisonnette. Placez le devant sur l'établi face à vous. Marquez-en le côté gauche et le côté droit. Faites ensuite reposer le devant sur son chant droit. Ajustez le côté gauche sur le chant gauche du devant, puis fixez-le avec de la colle, des clous ou des vis. Retournez l'assemblage et fixez temporairement le côté droit au devant. Laissez la tête des clous dépasser afin de pouvoir les retirer lorsque le moment sera venu de poser les charnières. Assurez-vous que les tasseaux se trouvent bien à l'intérieur et que les bordures affleurent à leur base et à leur sommet.

Ajustez ensuite les panneaux du toit en leur faisant surplomber les murs et en biseautant la bordure du faîte afin d'obtenir un joint convenable. Les petites ouvertures du joint pourront être comblées avec du mastic adhésif. Percez des avant-trous à travers le toit jusque dans le devant, le dos et le côté gauche. N'en percez pas dans le côté droit qui sera fixé par des charnières. Collez et vissez les panneaux du toit avec des vis de 1″. Retournez la maisonnette à l'envers et ajustez-y la base. Percez des avant-trous et vissez en place sans toutefois fixer le côté qui sera suspendu à des charnières.

La structure de base est alors terminée. Retirez les clous qui maintiennent le côté droit en place et fixez-le avec des charnières pour en faire une grande porte. Pour maintenir le côté fermé, posez un loquet, un verrou ou un crochet à œillet. Vous pouvez même en poser deux afin d'empêcher le côté de gauchir sous l'effet des intempéries. Ouvrez le côté et insérez le plancher en place sur les tasseaux. Glissez ensuite un assemblage de deux cloisons sur chaque étage. Les perchoirs sont fixés au dos et au devant à 6″ de leur base. Fixez-les solidement avec deux équerres métalliques chacun, tel qu'illustré à la figure 7-11. Retournez à nouveau la maisonnette et percez plusieurs trous d'égouttement de 1/4″ à travers la base.

Pour avoir du succès, les maisonnettes pour hirondelles sont généralement installées à découvert, à une hauteur de 15′ à 20′.

Elles sont donc continuellement exposées au soleil. C'est pourquoi il est recommandé de les peindre en blanc. Appliquez une couche d'apprêt et quelques couches de peinture blanche. Vérifiez ensuite si les trous d'égouttement ne sont pas obstrués par la peinture et le tour est joué. Il ne reste plus qu'à fixer une bride à tuyau sur la base de la maisonnette, puis à l'installer au bout d'un poteau de la manière décrite précédemment.

Chalet pour merle

Même si vous voulez établir un réseau de haltes pour les merles, vous pourrez choisir le modèle de maisonnette très simple présenté à la figure 7-14. Son toit qui imite les bardeaux assure une excellente aération et peut être retiré aisément pour faciliter l'entretien. Comme l'indique la liste des matériaux requis (voir figure 7-15), il s'agit également d'un projet peu coûteux.

Ce modèle compte plus de pièces que les autres ; il vous faudra donc apporter plus de soin au marquage. Vous devrez avoir un devant, un dos, deux côtés, un support, un plancher et six panneaux de toit. Les pièces sont toutefois simples et n'exigent aucun découpage complexe. Après avoir découpé toutes les pièces, percez des trous d'égouttement à travers le plancher et une ouverture de 1 1/2″ de diamètre dans le devant. Poncez légèrement toutes les pièces avant de procéder à l'assemblage.

Collez et clouez le devant à la bordure du plancher. Centrez ensuite le dos sur le support et vissez-le solidement à celui-ci. Faites ensuite reposer l'assemblage sur le devant, puis collez et clouez le dos au plancher. Ajustez les deux côtés en place avant de les coller et de les clouer au dos, au devant et au plancher. À cette étape, il ne manquera plus que le toit de la maisonnette.

Le toit de cette maisonnette est construit différemment de celui des autres modèles présentés dans ce livre. Posez un panneau de toit sur l'établi et placez-en un deuxième par-dessus, de façon à ce qu'il recouvre le premier sur une largeur de 3/4″. Assemblez les deux pièces en appliquant sur les surfaces jointes du mastic adhésif étanche. Consolidez ensuite l'assemblage avec des broquettes de 1/2″ ou 3/4″. Fixez ensuite un troisième panneau de toit par-dessus le deuxième, exactement de la même façon. Vous disposerez alors d'un versant de toit composé de trois panneaux et mesurant 7 1/2″ de hauteur. Assemblez les trois autres panneaux de toit de la même façon pour former l'autre versant.

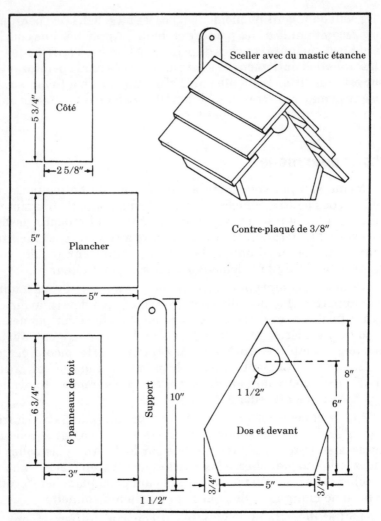

Fig. 7-14 Chalet pour merle

- contre-plaqué de 3/8" ;
- clous à finir ou petites vis de 3/4" ou 1" (au moins 30) ;
- mastic adhésif élastique pour baignoires ;
- broquettes de 1/2"
- peinture, teinture ou vernis au goût.

Fig. 7-15 Matériaux requis

Ajustez ensuite les deux versants du toit sur la maisonnette. Vous constaterez que les panneaux du toit ne reposent pas contre le dos et le devant sur toute leur largeur. Ce sont ces ouvertures qui assurent une bonne aération de la maisonnette. Appuyez les bordures faîtières l'une contre l'autre sans les faire chevaucher. Percez deux avant-trous à travers le toit jusque dans chaque côté. Soulevez le toit et placez un morceau de papier d'aluminium ou une cellophane sur les pointes du devant et du dos pour empêcher le mastic d'y adhérer. Remettez les versants du toit en place en ajustant les bordures faîtières et en alignant les avant-trous. Vissez ensuite le toit aux côtés, sans trop serrer pour ne pas faire basculer le faîte. Appliquez un généreux cordon de mastic adhésif élastique le long du joint faîtier. Faites-le bien pénétrer dans le joint et laissez sécher pendant plusieurs heures.

Lorsque le mastic est sec, enlevez les quatre vis et soulevez le toit. Appliquez un autre cordon de mastic sur la face interne du joint faîtier. Remettez le toit sur la maisonnette en laissant le papier d'aluminium ou la cellophane en place. Laissez sécher à nouveau. Lorsque vous soulèverez le toit une deuxième fois, vous constaterez qu'il est plus solide. Il supportera très bien d'être retiré et remis en place plusieurs fois afin de faciliter l'entretien de la maisonnette. Il ne vous reste alors plus qu'à bien poncer la maisonnette, puis à y appliquer quelques couches de peinture, de teinture ou de vernis. Après l'avoir laissé sécher quelques semaines, installez-la ensuite dans un arbre ou sur un poteau à une hauteur de 5′ à 10′ du sol.

Halte pour les merles bleus

La figure 7-16 propose un modèle très simple qu'on peut fabriquer rapidement. Il s'agit d'un modèle idéal pour ceux qui établissent un réseau de haltes constitué de six, de douze ou d'un nombre encore plus élevé de maisonnettes. Comme l'indique la figure 7-17, je recommande l'emploi de cèdre, de cyprès ou de bois traité à cause de leur aspect naturel et parce qu'ils n'exigent aucune autre protection contre les intempéries. Pour fabriquer une maisonnette, une planche de 6′ de longueur suffira.

Le découpage des pièces est à la fois simple et rapide. Tracez le contour de chaque pièce en utilisant une équerre, puis découpez-les. Poncez chaque pièce et percez des trous d'égouttement à travers le plancher. À 6″ de la base du devant, marquez le centre de l'ouverture de 1 1/2″ de diamètre. Découpez l'ouverture et

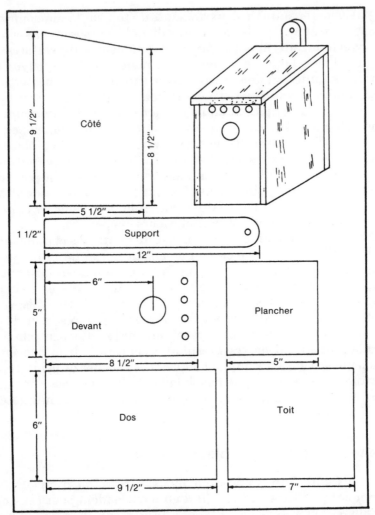

Fig. 7-16 Halte pour les merles bleus

- planche de cèdre, de cyprès ou de bois traité de 1/2"
  d'épaisseur, 6" de largeur et 6' de longueur ;
- vis ou clous à finir de 1" (au moins 30) ;
- colle (facultatif) ;
- 2 petites charnières ;
- crochet à œillet ou loquet.

Fig. 7-17 Matériaux requis

percez plusieurs trous d'aération de 3/8″ le long de la bordure supérieure du devant. Ces trous seront protégés par le surplomb du toit lorsque la maisonnette sera terminée.

Commencez l'assemblage en plaçant le devant debout sur sa bordure supérieure et en y clouant le plancher. Assurez-vous que l'ouverture se trouve bien à 6″ du plancher. Fixez ensuite l'un des deux côtés au devant et au plancher. Retournez l'assemblage et fixez l'autre côté. Centrez le dos sur le support et vissez-le solidement à celui-ci. Faites reposer l'assemblage sur le devant et ajustez le dos en place. Collez et clouez solidement le dos aux côtés et au plancher. Remettez la maisonnette à l'endroit.

Il ne reste plus qu'à poser le toit. Fixez-le au dos de la maisonnette au moyen de deux charnières, puis posez un crochet à œillet ou un loquet à l'avant pour le maintenir fermé. La maisonnette est alors prête à être fixée à un arbre ou à un poteau. Les merles construisent leurs nids à une hauteur variant entre 5′ et 10′ du sol et dans un endroit découvert à proximité d'une forêt.

Réseau de haltes pour les merles bleus

L'une des espèces les plus populaires d'Amérique, le merle bleu, a connu de sérieuses difficultés il y a quelques années et en éprouve encore dans certaines régions. Autrefois très répandu, cet oiseau a presque disparu de plusieurs régions à cause d'une combinaison de trois facteurs. Le premier facteur fut la suite d'hivers très rigoureux des années cinquante, qui contribua à réduire la population de merles bleus de moitié. (On voit là toute l'importance de mangeoires bien garnies en hiver.) Quelques années plus tard, les ornithologues et les biologistes ont constaté que le cheptel ne se repeuplait pas. En fait, d'une année à l'autre, on comptait de moins en moins de merles bleus. Au début des années soixante, leur population atteignait un plancher jamais atteint.

C'est en étudiant le problème que les chercheurs ont pu découvrir les deux autres facteurs. Le premier se rapportait aux habitudes de nidification du merle bleu. Contrairement à la plupart des oiseaux chanteurs, ce dernier ne construit pas son nid dans les arbres ou les arbustes. Il préfère nicher dans un trou abandonné par un pic ou un autre animal. On a découvert qu'il y avait à l'époque une pénurie de logements convenables. L'environnement naturel n'offrait pas suffisamment de trous ou de creux pour répondre à la demande. Les merles craintifs furent chassés de leurs logis par les pics, les moineaux, les troglodytes et d'autres espèces d'oiseaux. Comment expliquer cette crise du logement? La réponse est simple : l'habitat naturel des merles bleus a presque complètement été détruit.

Pour le merle bleu, l'environnement idéal est une forêt ou un verger d'arbres matures. Les troncs et les branches des vieux arbres sont parsemés de trous qui répondent aux besoins de tous. Des champs sauvages doivent se trouver à proximité afin de faciliter la chasse des insectes, mais les bâtiments de ferme — où les moineaux ont tendance à se rassembler — doivent être relativement éloignés. De nos jours, un tel environnement est très rare. Les fermiers ont vendu leurs terres boisées ou les ont rasées afin de les exploiter. On trouve des bâtiments partout et les merles doivent constamment lutter contre les moineaux pour de l'eau, de la nourriture et un site de nidification.

Lorsque les problèmes du merle bleu ont été portés à l'attention du public, de nombreuses personnes ont voulu lui apporter une solution. À la suite de nombreuses expériences, on a découvert que la meilleure solution consistait à établir un réseau de haltes pour les merles. L'objectif poursuivi est simple : il s'agit de remplacer les sites de nidification naturels que le merle a perdus.

Pour établir votre propre réseau de haltes, fabriquez pendant l'hiver huit à dix (ou plus) haltes pour merle (voir figure 7-16). Vous pouvez également choisir un modèle différent, y compris le chalet pour merle présenté précédemment dans ce chapitre. N'importe quel modèle conviendra à la condition de respecter les dimensions de base. Étant donné que vous devrez en fabriquer plusieurs, je vous conseille de choisir un modèle simple. Les oiseaux ne se soucient guère de l'apparence de leur maisonnette. Fabriquez vos haltes avec du cèdre, du cyprès ou du bois traité, ou protégez-les avec plusieurs couches de peinture ou de vernis. Après avoir consacré des heures à leur fabrication, vous voudrez sans doute qu'elles durent plus d'un an.

Si vous êtes membre d'une association, pourquoi ne pas intéresser d'autres personnes à votre projet. Il s'agit d'une activité idéale pour une troupe de scouts, un club de l'âge d'or ou, bien entendu, pour une association d'ornithologues amateurs. Chacun sera fier de contribuer à la conservation de la faune.

Au cours de l'hiver, profitez-en aussi pour explorer les endroits où vous pourrez établir votre réseau de haltes. Choisissez un endroit pas trop éloigné afin de pouvoir visiter les maisonnettes régulièrement. Autant que possible, essayez de choisir des emplacements se trouvant à proximité d'un champ et d'une forêt. Vérifiez également si vous pourrez fixer vos maisonnettes à des poteaux existants ou si vous devrez planter vos propres poteaux. Les fermiers accepteront volontiers que vous installiez une halte sur leur terre lorsqu'ils sauront que les merles sont de grands insectivores. Hydro-Québec et Bell Canada accepteront aussi que vous fixiez une maisonnette à l'un de leurs poteaux si vous en faites la demande. Faites ensuite un plan de votre réseau et attendez le printemps.

Dès l'arrivée du mois de mars, allez installer vos haltes. Apportez avec vous du fil de fer, des cisailles, un marteau et des clous, ainsi que les poteaux dont vous aurez besoin. Demandez toujours la permission avant d'installer une maisonnette sur la propriété d'autrui. Installez les haltes à environ 500' à 1000' l'une de l'autre et à 3' ou 4' du sol. L'expérience démontre que les moineaux sont réticents à nicher à moins de 5' du sol. Clouez les maisonnettes solidement ou attachez-les à des poteaux métalliques avec du fil de fer. Sur chacune, fixez une pochette en plastique dans laquelle sera insérée une carte expliquant le rôle de la maisonnette et indiquant le numéro de téléphone de la personne à rejoindre si elle est endommagée. Une telle carte a pour effet de réduire les risques de vandalisme. Après avoir installé toutes vos haltes, revenez sur vos pas et vérifiez si vous n'avez rien oublié.

Il y a quelques années, un club d'ornithologie de ma région a établi un réseau de haltes pour les merles qui constitue un bon exemple. Le réseau couvre à peu près tous les types de terrains du voisinage. Il commence à environ un kilomètre des limites de la municipalité avec des haltes fixées à des poteaux tous les 200 mètres le long de la grand-route et à l'abri des arbres. Après neuf maisonnettes, le réseau se dirige vers un marais, où deux haltes sont installées de part et d'autre d'un ruisseau. Aucune des haltes du réseau n'est fixée à un arbre, car il semble que les merles préfèrent celles qui sont fixées à des poteaux. Derrière le ruisseau se trouve un boisé d'environ 500 mètres dans lequel aucune halte n'est installée. Plus loin, neuf autres haltes sont fixées aux poteaux métalliques d'une clôture entourant un pâturage parsemé de taillis. Soit dit en passant, les maisonnettes ont été fixées sur la face extérieure de la clôture afin de pouvoir les nettoyer sans devoir passer sur le terrain du fermier. En tout, ce réseau de trois kilomètres compte 20 haltes pour les merles bleus.

Grâce à une bonne planification, ce réseau n'impose pas un travail d'entretien laborieux au club d'ornithologie. On peut voir toutes les maisonnettes de la grand-route et vérifier si elles ont subi des dommages. Il est également facile d'aller inspecter chaque maisonnette. Chaque semaine, un membre du club fait le tour des haltes pour vérifier leur état et pour savoir si elles sont occupées. À l'automne, tous les membres du club participent au nettoyage des haltes afin qu'elles soient prêtes pour le printemps prochain. Le réseau est en place depuis maintenant six ans et son taux d'occupation moyen est de 75 pour cent.

CHAPITRE 8

Des projets pour les enfants

Les enfants sont fascinés par les oiseaux. N'importe quel enfant sera ravi de pouvoir observer un oiseau multicolore ou de pouvoir nourrir des canards. Cette fascination est sans doute due à la beauté des oiseaux, mais aussi au mystère de leur vol et de leur comportement. Même un enfant très bien documenté sur les oiseaux restera fasciné par leur beauté et leur comportement. Les enfants ont une telle curiosité qu'ils voudront participer à vos projets visant à attirer et à nourrir des oiseaux.

On peut faire participer des enfants à un degré plus ou moins grand. Pour certains, il s'agira de confier à un enfant le soin de garnir une mangeoire ou de nettoyer une maisonnette de temps à autre. D'autres parents voudront inculquer à un enfant le sens des responsabilités en lui confiant la tâche de maintenir une mangeoire toujours bien garnie. On peut aussi faire participer les enfants à la fabrication de mangeoires ou de maisonnettes simples. Avec l'aide d'un adulte, les enfants plus âgés pourront ainsi se familiariser avec l'emploi des outils et des instruments de mesure.

Les enfants doivent aussi apprendre qu'une telle activité est très utile en plus d'être amusante. Un enfant n'est jamais trop jeune pour qu'on le sensibilise à la protection de l'environnement. Même les très jeunes enfants font preuve d'une compassion étonnante. Le fait de garnir une mangeoire ou de fabriquer une maisonnette donnera à l'enfant le sentiment de poser un geste concret pour venir en aide aux oiseaux.

Les projets présentés ici sont très simples et peuvent être réalisés rapidement. Les enfants pourront les réaliser seuls, ou presque. Pour un très jeune enfant, je recommande toutefois qu'un adulte découpe les pièces et y perce les trous. De cette façon, l'enfant pourra faire l'assemblage avec plus de succès. Avec un enfant plus âgé, il suffira de lui donner quelques conseils sur l'usage des instruments de mesure et des outils. Il importe surtout de conserver à l'activité un caractère amusant. Si vous vous attendez à ce qu'un enfant de 9 ans enfonce un clou bien droit ou à ce qu'un jeune de 11 ans assemble des pièces à angle droit, vous ferez mieux de ne pas tenter l'expérience. Vous risquez d'être déçu et de décevoir l'enfant. Les oiseaux ne se soucient guère des joints mal faits ou des coulisses de peinture. Laissez l'enfant réaliser lui-même son projet et permettez-lui de l'utiliser avec fierté. Si vous en avez fait une expérience positive, peu importe que la mangeoire soit un peu bancale.

Cône de pin transformé en mangeoire

Ce projet vieux comme le monde connaît toujours le même succès. Même un enfant de 5 ans peut le réaliser sans aide et presque tous les enseignants et animateurs de niveau primaire le connaissent.

Pour un jeune enfant, la simple recherche d'un gros cône de pin peut constituer en soi toute une aventure. N'importe quel cône peut convenir, mais les plus gros et les plus ouverts sont les meilleurs. Après avoir trouvé un cône de pin de bonne taille, secouez-le fermement afin d'en dégager les débris et les insectes qui pourraient s'y cacher. Passez ensuite une longue ficelle entre les écailles et nouez-la solidement autour de la base du cône. L'autre extrémité de la ficelle servira à suspendre le cône.

L'étape la plus amusante consiste à garnir le cône. La garniture la plus simple à préparer est du beurre d'arachide mélangé à des graines pour oiseaux. Mettez quelques cuillerées de beurre d'arachide dans une assiette et roulez-y le cône de manière à bien faire pénétrer le beurre d'arachide entre ses écailles. Roulez ensuite le cône dans des graines pour oiseaux jusqu'à ce qu'il en soit complètement couvert. Secouez pour enlever l'excédent de graines et suspendez à la branche d'un arbre.

Je conseille de suspendre le cône près de la maison afin que les enfants puissent observer les oiseaux qui viennent s'y nourrir. Les oiseaux ne manqueront pas de trouver cette mangeoire et de la nettoyer. Les enfants en seront ravis et ils pourront garnir le cône de pin à nouveau.

Recettes de pâtées pour les oiseaux

Les pâtées pour oiseaux sont des mélanges épais que l'on peut appliquer à la surface des branches ou des troncs des arbres. On peut aussi en garnir des cônes de pin ou une bûche transformée en mangeoire. Les pâtées constituent l'un des mets préférés de plusieurs espèces d'oiseaux. À cause de leur teneur en gras, les pâtées répondent particulièrement bien aux besoins alimentaires des oiseaux en hiver. Bien que la plupart des amateurs offrent de la pâtée dans leur jardin, certains vont jusqu'à en garnir quelques arbres d'une forêt voisine. Les oiseaux sauvages s'habituent très rapidement à cette nouvelle source d'aliments et cela permet de nourrir les espèces trop craintives pour s'approcher de la maison.

Il existe des douzaines de recettes de pâtées pour oiseaux et chaque ornithologue amateur a créé ses propres variantes. Voici deux recettes simples que les enfants pourront préparer sans mal.

Pâtée à base de beurre d'arachide

1 tasse de beurre d'arachide (crémeux ou croquant);
1/2 tasse de miettes de pain ou de craquelins;
1/4 de tasse de nourriture sèche pour chien, émiettée;
1/2 tasse de millet ou autre graine pour oiseaux.

Mélangez ensemble tous les ingrédients et appliquez à la surface des arbres. Compte tenu de la texture variable des différents beurres d'arachide, il est parfois nécessaire de modifier les quantités. Si le mélange n'est pas assez épais, il suffit d'y ajouter des miettes de pain ou de craquelins. N'oubliez pas que la pâtée deviendra plus épaisse au froid.

Pâtée à base de lard

2 tasses de lard fondu;
1 tasse de graines pour oiseaux;
1/2 tasse de graines de tournesol;
1 paquet d'insectes séchés pour poissons.

Cette pâtée fera les délices des oiseaux insectivores. Faites fondre le lard à feu moyen. Laissez-le ensuite refroidir complètement et faites-le fondre à nouveau. Vous obtiendrez ainsi du gras plus lisse et plus ferme. Pendant que le lard est encore chaud, mélangez-y les autres ingrédients, un peu à la fois, jusqu'à l'obtention d'un mélange assez épais. Étant donné que la consistance du lard et des autres ingrédients peut varier considérablement, il vous faudra peut-être augmenter ou réduire les quantités indiquées afin d'obtenir un mélange bien ferme. N'oubliez pas que le mélange épaissira au froid et qu'il adhérera très bien à l'écorce des arbres. Je ne recommande pas l'emploi d'une pâtée à base de lard en été, car elle aura tendance à fondre. Il s'agit essentiellement d'une recette pour l'hiver.

Guirlandes alimentaires

Les petits enfants aiment bien venir en aide aux oiseaux et ils le feront d'une manière très amusante en préparant des guirlandes alimentaires. Les matériaux utilisés sont peu coûteux, faciles à trouver et familiers aux enfants. La fabrication des guirlandes est une activité amusante qui développera la dextérité manuelle des jeunes enfants. C'est aussi un projet idéal à faire en groupe. Chez nous, on consacre souvent l'après-midi d'un samedi à la fabrication de guirlandes en famille.

Les guirlandes alimentaires peuvent être garnies de n'importe quel aliment susceptible d'être enfilé sur une corde ou un fil robuste. Mes préférés sont le maïs éclaté, les boulettes de pain, les tranches de pomme, les raisins secs, les bouchées tendres pour chiens, les morceaux de pomme de terre bouillie et les macaroni en coudes à peine cuits. Si vous trouvez autre chose, n'hésitez pas à l'enfiler sur votre guirlande. Votre connaissance des espèces locales vous guidera dans votre choix. Si les oiseaux de votre voisinage lèvent le nez sur les restes de table, ils n'en voudront pas plus s'ils sont enfilés sur une guirlande.

Après avoir choisi les ingrédients, préparez-les et disposez-les dans des assiettes ou des bols. Vous devrez d'abord faire éclater les grains de maïs et trancher les gros fruits. Pour faire des boulettes de pain, enlevez la croûte d'un pain tranché et façonnez chaque tranche en une masse ferme. Coupez ensuite en morceaux de la taille d'une noix de Grenoble et façonnez en boulettes bien fermes. Placez tous les ingrédients à la portée des jeunes fabricants de guirlandes.

Enfilez ensuite une grosse aiguille avec une ligne à pêche, un fil robuste ou une ficelle. N'utilisez pas du fil à couture car les oiseaux risquent de le couper en picorant les aliments. Attachez un vieux bouton à l'extrémité du fil afin de retenir les aliments. Enfilez quelques grains de maïs éclatés, puis alternez avec des bouchées pour chiens, des tranches de fruits, des boulettes de pain ou des raisins secs. Lorsqu'on enfile des tranches de fruits, il importe de passer l'aiguille à travers la pelure afin que le morceau reste bien en place. On peut faire travailler tous les enfants à la préparation d'une même longue guirlande ou laisser chacun faire la sienne avant de les attacher bout à bout.

Pour de jeunes enfants, la préparation d'une guirlande alimentaire peut devenir laborieuse. L'enfilage des aliments est un travail qui exige beaucoup de coordination de leur part. Ils risquent de se fatiguer très vite. J'essaie de n'imposer aucune longueur minimum aux jeunes enfants afin que l'expérience soit la plus positive possible. Ils seront fiers de leur guirlande, même si elle est courte. Il vaut mieux les laisser s'arrêter lorsqu'ils sont fatigués que de les forcer à continuer.

Les enfants plus âgés considèrent souvent la fabrication de guirlandes comme un événement social. Ils feront des concours pour déterminer celui qui fait la plus longue guirlande ou se diviseront le travail par équipes. Ils auront aussi beaucoup de plaisir à grignoter autant d'aliments qu'ils en enfilent. Il vous faudra donc saler le maïs éclaté et laver les fruits.

Lorsque la guirlande est prête, il suffit de la déposer sur les branches basses d'un arbre ou sur des arbustes. Choisissez un endroit qui permettra aux enfants d'observer les oiseaux. Attachez-la bien afin qu'elle ne soit pas entraînée par le vent et assurez-vous que les oiseaux pourront y avoir accès sans trop de difficultés. Si vous avez une mangeoire qui est régulièrement visitée sur votre terrain, les oiseaux se précipiteront immédiatement sur la guirlande. Si ce n'est pas le cas, il vous faudra peut-être attendre quelques jours, mais les oiseaux finiront bien par la découvrir.

Mangeoire découpée dans une cruche à lait

La mangeoire illustrée à la figure 8-1 peut être réalisée en une demi-heure. C'est un projet facile et peu coûteux qui permet d'obtenir une mangeoire très efficace. Un enfant capable d'utiliser un couteau et des ciseaux pourra le réaliser seul à la condition qu'un adulte perce l'unique trou requis.

Commencez d'abord par bien laver une cruche à lait en plastique de 4 litres munie de son bouchon. Pour découper les

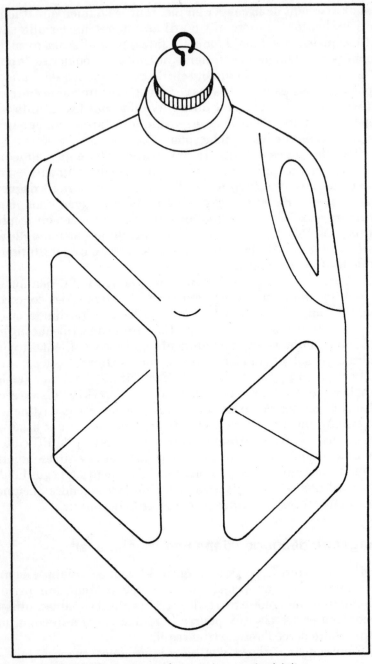

Fig. 8-1 Mangeoire découpée dans une cruche à lait

côtés de la cruche, vous aurez besoin d'un couteau tranchant et peut-être de ciseaux. En observant la cruche, vous remarquerez que deux de ses côtés sont relativement plats, tandis que les deux autres se replient vers l'intérieur pour former la poignée. Commencez par faire un trait horizontal à 1 1/2″ de la base sur l'un des deux côtés plats. Découpez ensuite une fente le long de cette ligne jusqu'à pas moins de 1″ de chaque coin. Tournez le couteau ou les ciseaux et découpez vers le haut sans rapprocher la fente à moins de 1″ du coin. Lorsque la lame atteint l'endroit où le plastique est incurvé vers le goulot, cessez de couper. Pratiquez une fente identique de l'autre côté. Cela fait, il ne vous restera plus qu'à découper le haut pour enlever le morceau de plastique. Faites une ouverture semblable sur l'autre côté plat et des ouvertures plus petites sur les côtés de la poignée. Percez ensuite un trou au centre du bouchon, fixez-y un œillet boulonné et revissez-le fermement en place. La mangeoire est alors prête à être garnie et suspendue.

Cabane à moineaux ou à troglodytes

La maisonnette toute simple de la figure 8-2 est faite à partir d'un contenant en plastique de 2 litres. N'importe quel contenant ayant à peu près les mêmes dimensions pourra convenir.

Après avoir lavé un contenant en plastique de 2 litres, coupez-le en deux à l'horizontale. Taillez ensuite la partie du bas de manière à ce que l'ensemble mesure 7″ de hauteur lorsque les deux parties sont rassemblées. Taillez ensuite le goulot jusqu'à ce que l'ouverture mesure 1 1/4″ de diamètre. Cela fait, trouvez une retaille de bois dont la longueur est de 1″ ou 2″ supérieure à la largeur de la base du contenant. Cette pièce servira de support pour installer la maisonnette. Placez le fond du contenant sur le support de manière à ce que le bord affleure à l'une de ses extrémités. Clouez solidement le fond du contenant au support. Rassemblez les deux parties du contenant en les glissant l'une dans l'autre et fixez le tout avec une bonne largeur de ruban adhésif hydrofuge. Couvrez tout le contenant de ruban adhésif pour augmenter sa rigidité.

J'utilise personnellement du ruban adhésif de couleur verte ou brune afin que la maisonnette ait un aspect naturel. J'y ajoute aussi un perchoir formé d'une tige de bois qui dépasse l'ouverture de la maisonnette sur une longueur de plusieurs pouces. Il suffit de fixer le perchoir sous l'ouverture en l'entourant plusieurs fois

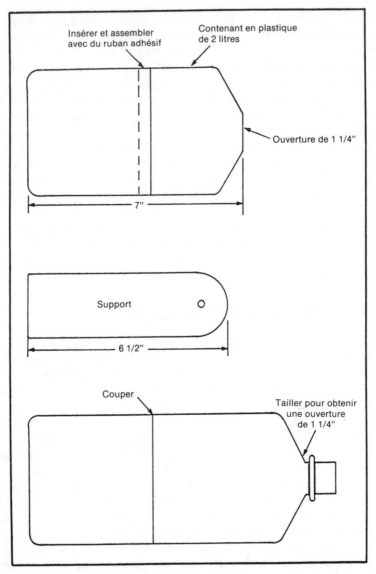

Fig. 8-2 Cabane à moineaux ou à troglodytes

de ruban adhésif. Les moineaux apprécient particulièrement la présence d'un perchoir. Installez ensuite la maisonnette en clouant ou en attachant son support à un endroit ombragé. Il est important de placer cette maisonnette à un endroit ombragé, car elle est en plastique et deviendra très chaude si elle est exposée au soleil.

Support pour les matériaux de construction d'un nid

En milieu urbain, les oiseaux ont beaucoup de mal à trouver des matériaux pour la construction de leur nid. Si vous leur offrez des retailles de tissu, des bouts de ficelle, de la paille ou de la charpie venant de la sécheuse, les oiseaux vous seront reconnaissants et visiteront votre jardin. Le support illustré à la figure 8-3 vous permettra de mettre tous ces matériaux à leur disposition d'une manière pratique. Ce projet n'exige aucun travail complexe de mesurage, de découpage ou d'assemblage. Son assemblage conviendra très bien à un enfant si les pièces sont d'abord préparées par un adulte.

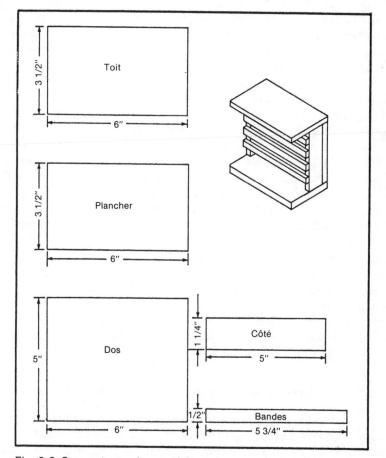

Fig. 8-3 Support pour les matériaux de construction d'un nid

- contre-plaqué de 3/8" ;
- clous à finir de 3/4" ou 1" ;
- colle (facultatif) ;
- colle hydrofuge ou broquettes pour fixer les bandes ;
- équerre métallique de 3" ;
- peinture, teinture ou vernis au goût.

Fig. 8-4 Matériaux requis

Rassemblez d'abord les matériaux énumérés à la figure 8-4. Mesurez et tracez le contour du plancher, du toit, du dos et des deux côtés. Découpez-les soigneusement et poncez-les. Les bandes sont faites de contre-plaqué de 3/8" d'épaisseur découpé à une largeur de 1/2". Découpez une longue bande de 1/2" de largeur, puis coupez-y des longueurs de 5 3/4". Poncez également ces bandes avant de procéder à l'assemblage.

Mettez l'un des côtés debout sur sa longue bordure et posez-y le dos. Faites affleurer les bords et enfoncez des clous à travers le dos jusque dans le côté. Fixez ensuite l'autre côté de la même façon. Placez l'assemblage à l'envers afin d'y fixer le plancher avec de la colle et des clous. Posez ensuite le toit de la même manière. Faites reposer l'assemblage sur le dos pour fixer les bandes. Appliquez une goutte de colle hydrofuge à chacune des extrémités de chaque bande, puis collez-la aux côtés. Vous pouvez aussi les fixer à l'aide de broquettes. Essayez de fixer les bandes de manière à ce qu'elles soient parallèles et espacées régulièrement. Laissez sécher. Après le séchage, poncez le support avant d'y appliquer une couche de peinture, de teinture ou de vernis. Fixez ensuite l'équerre métallique au toit ou au plancher, en affleurement avec la surface du dos. Installez-le contre un poteau, une clôture, un arbre ou toute autre surface verticale. On peut aussi installer le support au bout d'un tuyau en fixant une bride à tuyau sous le plancher. Mettez des matériaux de construction de nid derrière les bandes et laissez les oiseaux faire leur choix.

Panier à fraises transformé en support à matériaux

Le projet le plus simple de ce livre consiste à utiliser un panier à fraises en plastique pour dispenser des matériaux de construction aux oiseaux. Les seuls matériaux requis sont un panier à fraises et une corde robuste. Les lignes à pêche et les fils de nylon sont plus durables, mais n'importe quelle corde solide conviendra très bien. Si vous n'avez pas de panier à fraises sous la main, vous pouvez utiliser n'importe quel panier, en autant qu'il laisse s'égoutter l'eau de pluie.

Lavez le panier et laissez-le sécher pendant que vous rassemblez des matériaux destinés aux oiseaux : bouts de ficelle, brins de corde, bandes de tissu, mousse, ouate, poils de pinceau, etc. Tout matériau assez souple pour être intégré dans un nid sera utilisé par les oiseaux. Étant donné que les matériaux naturels sont devenus très rares (comme le crin de cheval), les oiseaux se sont adaptés.

Suspendez votre panier à l'abri des chiens et des chats de manière à pouvoir observer les oiseaux qui le visitent. Ne le suspendez pas trop haut, à moins de tenir à gravir une échelle pour le garnir. Passez la corde plusieurs fois dans les mailles du panier et attachez-le solidement à un arbre ou à un poteau. Mettez-y des matériaux de construction de nid et laissez les oiseaux faire leur choix. Je laisse des matériaux à leur disposition d'avril jusqu'à septembre, c'est-à-dire pendant toute la période de nidification.

Étagère pour nidifier

Plusieurs espèces d'oiseaux préfèrent construire leur nid sur une surface non fermée. L'étagère de la figure 8-5 est conçue pour répondre aux besoins du moucherolle phébi, du pinson chanteur et de certaines espèces d'hirondelles, mais j'y ai déjà observé des merles américains. Il est bon d'installer quelques étagères pour nidifier en plus des maisonnettes, car cela permet d'attirer des espèces différentes.

Cette étagère ne comporte que cinq pièces, y compris ses deux côtés. La figure 8-6 indique l'épaisseur du bois utilisé. Mesurez et marquez soigneusement le contour de chaque pièce. Pour tracer la pointe des deux côtés, faites d'abord une marque à 1″ du sommet et à 1″ de la base du devant de chacun des côtés. Faites ensuite un trait horizontal sur les côtés à 3″ de leur base. Faites une marque sur ce trait à 3″ de la bordure avant. Avec une règle, il suffit alors de relier cette dernière marque aux deux premières faites sur la bordure avant. Pour tracer les coins arrondis du dos, utilisez une pièce ronde dont le diamètre est approprié et marquez-en le contour. Vous trouverez sûrement dans la cuisine une boîte de conserve qui fera l'affaire. Après avoir découpé les pièces, poncez-en toutes les bordures avant de procéder à l'assemblage.

Faites d'abord un trait horizontal à 1 1/8″ de la bordure inférieure du dos. La base des deux côtés sera alignée sur cette marque. Faites ensuite un trait vertical à 1/2″ des bords latéraux du dos. Les bordures des deux côtés seront alignées le long de ces

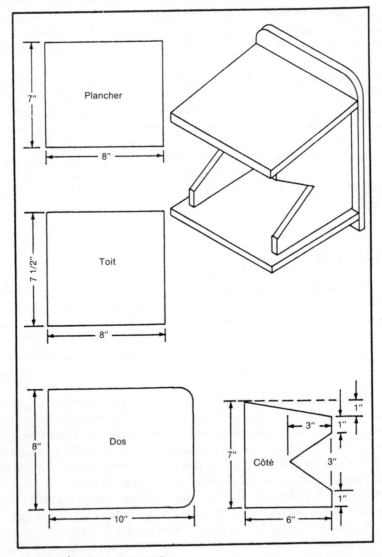

Fig. 8-5 Étagère pour nidifier

- contre-plaqué de 3/8" ;
- colle (facultatif) ;
- petites vis ou clous à finir de 3/4" ou 1" (au moins 25) ;
- tige de bois de 1/4" de diamètre ou retailles de bois ;
- peinture, teinture ou vernis au goût.

Fig. 8-6 Matériaux requis

marques. Placez l'un des côtés debout sur sa bordure avant et posez-y le dos. Alignez bien la pièce sur les marques, puis collez et clouez le dos au côté. Procédez de la même manière pour fixer l'autre côté. Placez l'assemblage à l'envers afin de pouvoir fixer le plancher. Comme le dos dépasse le sommet des côtés vous devrez placer l'assemblage contre le rebord de l'établi afin qu'il repose à plat. Ajustez le plancher et clouez-le en place. Retournez l'assemblage, placez-le contre le rebord de l'établi et fixez le toit aux côtés.

Il ne reste alors plus qu'à prévoir un mode d'ancrage pour le nid qui sera construit sur cette étagère. Très souvent, les nids sont emportés par le vent ou renversés parce qu'il n'y a pas de tel mode d'ancrage. Faites quatre trous à travers le plancher et collez-y des tiges de bois de 1/4" de diamètre et d'environ 1" de longueur. Vous pouvez aussi coller ou clouer une bande de bois de 1/2" d'épaisseur à 1' de la bordure avant du plancher. Ne fermez pas complètement l'avant du plancher, sinon l'eau ne pourra pas s'égoutter. Protégez ensuite l'étagère avec de la peinture, de la teinture ou du vernis, puis installez-la à une hauteur de 8' à 12' du sol. Choisissez un emplacement qui n'est pas exposé aux chauds rayons du soleil de l'après-midi.

Index

A

Abri, 18, 53-55
Alimentation, 18, 27-52
Arbres, 70, 71
Arbustes, 70
Avoine, 37, 43, 44

B

Bassin, 58, 59
Bec-croisé, 44
Beurre d'arachide, 39-43, 106, 107
Blé, 37, 43
Blé noir, 43
Bruant, 48

C

Cacahuète, 38
Caille, 48
Caméra, 24
Canard huppé, 113
Cardinal, 38, 44, 48, 69, 70
Carouge à épaulettes, 38
Chanvre, 43
Chardonneret, 48
Chat, 34, 35, 41, 42, 45, 62, 72, 77, 79, 80, 82, 109, 110, 121

Colibri, 66, 71, 72
Colza, 43
Corneille, 49
Crécerelle, 113

E

Eau, 18, 56-62
Écureuil, 34, 35, 42, 72, 77, 79, 80, 82, 109, 110, 126
Effraie, 113
Étourneau, 40, 113

F

Fauvette, 49
Fleurs, 69, 70
Fontaine, 57, 58

G

Geai bleu, 34, 38, 40, 44, 49
Graines de tournesol, 37, 43, 44
Grenailles, 19, 48
Grimpereau, 42, 49
Grive, 40, 49
Guide d'observation, 21, 22
Guirlandes alimentaires, 154, 155

H

Halte pour merle bleu, 145-150
Hirondelle, 113
Hirondelle pourprée, 56, 113, 119, 120, 123, 139-143

J

Jaseur des cèdres, 49, 66
Journal d'observation, 25
Jumelles, 22, 23
Junco, 38, 40, 50

L

Lard, 39-42, 106

M

Maïs, 43, 44, 47
Maitane, 38
Mainate, 38, 40, 44, 50
Maisonnette, 111-150
   dimensions, 113
   fabriquée autour d'une boîte en carton, 126-129
   pour hirondelle pourprée, 139-143
   pour merle, 143-145
   pour mésange, 135-137
   pour moineau ou troglodyte, 157, 158
   pour pic, 137-139
   pour pic doré ou rosé, 133-135
   pour sittelle ou mésange, 129-132
Mangeoire, 31, 32, 73-109
   à plateau, 89-92
   à plateau faite avec un cadre, 92, 93
   à plateau couverte, 93-96
   découpée dans une cruche à lait, 155-157
   girouette, 102-105

pour le lard, 107-109
Merle, 38, 40, 50, 113, 114, 143-145, 161
Merle bleu, 145-150
Mésange, 40, 42, 44, 50, 78, 107, 113, 129-132, 135-137
Mésange huppée, 28, 50, 62, 113
Mil, 37, 43, 44
Millet, 37, 43, 46, 47
Moineau, 33, 44, 56, 114, 126, 157, 158
Moqueur, 39, 40, 50, 121
Moucherolle, 113, 161

O

Orange, 38
Orge, 43
Oriole, 40, 50

P

Pâtées pour oiseau, 153, 154
Pêche, 38
Petit duc, 113
Petite nyctale, 113
Pigeon, 33, 43, 44, 51
Pic, 40, 51, 107, 113, 133-135, 137-139
Pinson, 38, 40, 51, 113, 125, 161
Plantes grimpantes, 70
Pomme, 38, 48
Poussière, 19, 63, 64
Prune, 38

R

Raisins secs, 38, 47, 48
Rat, 45
Refuge, 18, 19, 62, 63
Restes de table, 38, 39
Roitelet, 40, 51

S

Roselin, 44, 51, 69, 113, 114
Sittelle, 42, 44, 113, 129-132
Souris, 45

T

Tangara, 51
Télescope, 24, 25
Trémie, 96-99

Trémie facile à fabriquer, 99-102
Tohi, 51
Tourterelle, 51
Troglodyte, 38, 40, 52, 113, 157, 158

V

Vacher, 33